Pluralisme et démocratie

Ouvrages du même auteur

Sphères de justice
Une défense du pluralisme et de l'égalité
Le Seuil, coll. « La couleur des idées », 1997

La critique sociale au XXe siècle
Solitude et solidarité
Métailié, coll. « Leçons de chose », 1996

Critique et sens commun
Essai sur la critique sociale et son interprétation
La Découverte, coll. « Agalma », 1990

Régicide et révolution
Le procès de Louis XVI
Payot, coll. « Critique sur la politique », 1989

La révolution des saints
Éthique protestante et radicalisme politique
Belin, coll. « Littérature et politique », 1988

De l'exode à la liberté
Essai sur la sortie d'Égypte
Calmann-Lévy, coll. « Diaspora », 1986

ISBN 2-909210-19-7

212, rue Saint-Martin, F-75003 Paris
Distribution-diffusion : Le Seuil

Michael Walzer

Pluralisme et démocratie

Traduction collective

Introduction de Joël Roman

philosophie

L'auteur et les Éditions Esprit remercient les revues et les éditeurs qui ont aimablement accordé l'autorisation de reproduire les textes qui composent ce recueil.

« La justice dans les institutions » a été publié dans *Esprit*, mars-avril 1992. © *Political Theory*, août 1984, sous le titre "Liberalism and the Art of Separation". Traduction de David Grosz et Joël Roman.

« La critique communautarienne du libéralisme », © PUF, dans *Libéraux et communautariens*, textes réunis et présentés par André Berten, Pablo Da Silveira, Hervé Pourtois, 1997 (traduction de P. Destrée). En anglais, "The Communitarian Critique of Liberalism", *Political Theory*, 1990, 18, p. 6-23.

« Les deux universalismes » a été publié dans *Esprit*, décembre 1992. © University of Utah Press (Salt Lake City), dans *Tanner Lectures on Human Values* XI, sous le titre "Two Kinds of Universalism", 1990, p. 509-531. Traduction de Marc-Olivier Padis.

« Le nouveau tribalisme » a été publié dans *Esprit*, novembre 1992. © *Dissent*, sous le titre "The New Tribalism", printemps 1992. Traduction de Jean Kempf.

« Comment valoriser le pluralisme ? Une lecture d'Isaiah Berlin » a été publié dans *Esprit*, août-septembre 1996. © *New York Review of Books*, sous le titre "Are there limits to liberalism?", octobre 1995. Traduction de Jean-Claude Monod.

« Pluralisme et démocratie sociale » est le texte d'une conférence inédite, prononcée à un colloque du SPD « La rencontre entre philosophie et politique » à Berlin en octobre 1996. Traduction de Joël Roman. © Michael Walzer.

« Communauté, citoyenneté et jouissance des droits » a été publié dans *Esprit*, mars-avril 1997. C'est le texte d'une conférence faite au Portugal lors des IVes Rencontres internationales de Sintra, en juillet 1996. © Fondation luso-américaine pour le développement (Lisbonne), sous le titre *Citizenship in a Changing Society*, 1996. Traduction de Jean-Claude Monod.

« Exclusion, injustice et État démocratique » est le texte d'une intervention faite au colloque organisé par le Commissariat au Plan sur le thème « Justice sociale et inégalités » à Paris à l'automne 1992. Elle a été publiée dans *Pluralisme et équité*, sous la direction de Joëlle Affichard et Jean-Baptiste de Foucauld, Éditions Esprit, 1995, p. 29-50. Traduction d'Emmanuel Dupont et Laurent Thévenot. Une version américaine a été publiée sous le titre "Exclusion, Injustice and the Democratic State" par *Dissent*, hiver 1993.

L'entretien avec Chantal Mouffe, « Éloge du pluralisme démocratique », a été publié par *Esprit*, mars-avril 1992.

Introduction

Le pluralisme de Michael Walzer

Joël Roman

LA RÉCEPTION des auteurs américains en France n'est pas toujours exempte de malentendus. On l'avait vu pour Rawls, qui fut longtemps accusé par ceux qui ne l'avaient pas lu d'être un partisan farouche du libéralisme, ce qui est aux antipodes de la vérité, avant de se trouver enrôlé à son corps défendant dans une querelle franco-française sur égalité et équité où, là encore, il servait de repoussoir commode à un certain dogmatisme de gauche. Il est souhaitable, si c'est possible, d'éviter pareille déconvenue à la pensée de Michael Walzer, tant à sa théorie de la justice et à la notion d'« égalité complexe », qu'à sa vision de la démocratie et à ce que j'ai appelé son « pluralisme universaliste[1] ». Montrer comment une telle pensée est de nature à reconstruire une vision à long terme

1. Tel est le titre d'une première version de ce texte, parue dans *Justice sociale et inégalités*, sous la direction de J.-B. de Foucauld et J. Affichard, Paris, Éditions Esprit, 1992.

pour la gauche tout en prévenant de tels malentendus, tel est le propos de cette introduction.

Mais tout d'abord qui est-il ? Malgré plusieurs titres déjà traduits en français, Michael Walzer reste largement inconnu du public, même politisé ou cultivé. Né en 1935, professeur à l'*Institute for Advanced Study* de Princeton, codirecteur de la célèbre revue de gauche *Dissent* (qui fut fondée par Michael Harrington et Irving Howe), il a mené de front une carrière universitaire de philosophe politique et d'intellectuel engagé. Il fut un temps l'étudiant de Sir Isaiah Berlin, avec lequel il partage une option résolue en faveur du pluralisme et appartient à la génération qui fit son apprentissage politique dans la lutte pour l'égalité des droits civiques avant de s'opposer à la guerre du Vietnam. Il en tirera une longue réflexion sur la notion de « guerre juste », qui est l'ouvrage de référence sur la question[2], ainsi qu'un essai consacré aux questions posées par la désobéissance civile[3]. Dans ces ouvrages, il retrouve le fil qui guidait son premier livre, consacré à la légitimité du régicide en période révolutionnaire : au nom de quoi juger de la légitimité nouvelle qu'une révolution instaure[4] ? Peut-on échapper au dilemme du positivisme juridique, du relativisme historiciste, et d'un idéalisme transcendantal et anhistorique ? C'est à ces questions qu'il consacrera sa réflexion dans les années 1980 et 1990, proposant de nombreuses analyses du rôle des conflits culturels par rapport aux conflits sociaux, et éclairant sans cesse les débats contemporains, qu'il s'agisse de la politique américaine ou de la politique internationale, d'une connais-

---

2. *Cf. Just and Unjust Wars*, New York, Basic Books, 1977.

3. *Cf. Obligations. Essays on Disobedience, War and Citizenship*, Cambridge et Londres, Harvard University Press, 1970.

4. *Cf. Régicide et révolution*, traduction J. Debouzy et A. Kupiec, Paris, Payot, 1989. J'ai proposé une brève analyse de ce texte dans « Droit et communauté : Michael Walzer », dans *la Force du droit*, sous la direction de Pierre Bouretz, Paris, Éditions Esprit, 1990.

sance approfondie de la tradition philosophique moderne, mais aussi de la tradition juive, dont il dégage la philosophie politique latente. Les essais rassemblés dans ce volume en témoignent, et ils constituent à ce titre un prolongement de l'exposé plus systématique offert dans *Sphères de justice*[5].

Le débat universalisme/communautarisme

L'originalité de la position de Walzer dans le débat théorique américain tient à son refus d'abandonner la perspective normative, classiquement associée à une perspective universaliste et critique de type kantien (et qu'incarnent de manière différente Rawls et Dworkin, par exemple), tout en faisant droit au particularisme des communautés et des traditions vécues (ce qui le rapprocherait des auteurs dits communautariens, Alasdair McIntyre ou Michael Sandel). En même temps, cette posture n'est pas une tentative de conciliation à bon compte, mais repose plutôt sur un traitement théorique qui déplace la question. Pour en souligner l'originalité, un bref rappel des positions en présence n'est pas inutile.

Qui désire trouver un principe de justice capable de faire entrevoir ce que pourrait être une société juste, rencontre d'abord une difficulté de principe, qu'il lui faudra lever avant même de s'engager dans l'examen des diverses théories de la justice. Ces dernières s'interrogent en effet sur la compatibilité, et jusqu'où, des inégalités avec la visée de la justice par exemple. Mais la difficulté préalable réside dans l'extraordinaire diversité des formes d'organisation sociale, et des théories de la justice qui leur sont immanentes. Faut-il ignorer cette diversité, ou chercher à la réduire, en proposant une conception de la

---

5. M. Walzer, *Sphères de justice*, traduction Pascal Engel, Paris, Le Seuil, 1997.

justice qui transcende toute société particulière, ou bien au contraire ne peut-on que s'efforcer de dégager le sens que revêt une aspiration à la justice qui peut certes être commune, mais qui prend dans chaque cas une forme différente, ce qui aboutit ainsi à fragmenter l'idée de justice en autant de figures qu'il existe de formes différentes d'organisation sociale ?

La première perspective serait celle de Rawls, qui partage avec toute une tradition de pensée, qui va de Kant à Habermas, un postulat qu'on pourrait appeler universaliste-formaliste. Quelles que soient les différences, parfois très importantes qu'il peut y avoir entre elles, toutes ces théories fondent leur validité sur une prétention à l'universalité, c'est-à-dire qu'elles prétendent valoir pour toute communauté humaine, voire plus généralement pour toute communauté d'êtres raisonnables. C'est le formalisme de ces théories qui leur confère leur universalité. En effet, seule une théorie formelle peut réduire la particularité inhérente à toute société singulière, qui ne conçoit de répartition juste qu'à partir des traditions et valeurs partagées par ses membres. Dans ce cas, c'est pour des raisons de principe qu'on ne saurait en fin de compte concevoir qu'un seul véritable principe de justice, même quand il semble y en avoir plusieurs, comme Jean-Pierre Dupuy l'a montré dans le cas de Rawls[6]. L'opération qui, chez Rawls, consiste à postuler l'existence d'un voile d'ignorance n'est rien d'autre que l'opérateur de cette formalisation et de cette universalisation. Il s'agit de faire abstraction de tout élément empirique pour s'élever aux conditions transcendantales de possibilité d'une société juste.

Or, à ces théories transcendantales s'est opposée toute une série d'autres approches théoriques qui, au fond, ne cessent de reprocher aux premières une seule et même chose : il s'agit là

6. *Cf.* Jean-Pierre Dupuy, « Unicité ou pluralité des principes de justice ? », dans *Individu et justice sociale*, sous la direction de J.-P. Dupuy, Paris, Le Seuil, coll. « Points », 1988.

de théories abstraites. Ce qui est en cause n'est pas d'abord le constructivisme de la démarche, le caractère déductif de ces théories à partir de quelques axiomes, mais bien la mise entre parenthèses principielle de tout élément empirique. On peut le voir en reprenant l'exemple du voile d'ignorance : la postulation de Rawls, c'est que placés derrière le voile d'ignorance, les individus choisiraient la meilleure répartition possible puisque leur choix ne serait pas pathologiquement contaminé par telle ou telle appréciation des avantages qu'ils pourraient en retirer personnellement, ou des désavantages dont ils pourraient avoir à pâtir. Mais les différences ainsi mises entre parenthèses, qui sont les différences de condition sociale, de richesse, de qualification personnelle, d'âge, de sexe, de tradition ou de culture, ne sont-elles pas précisément les différences constitutives des individualités ? Autrement dit, une fois que l'on a fait abstraction de ces différences, reste-t-il une pluralité effective d'individus derrière le voile d'ignorance ? N'avons-nous pas plutôt affaire à un seul individu, l'individu générique pour ainsi dire ? Et quel sens garde encore le contrat, si cet individu générique contracte avec un *alter ego* dont il est absolument indiscernable par hypothèse, c'est-à-dire, en fait, avec lui-même[7] ? On voit bien qu'ici le soupçon est le suivant : de telles constructions ne sont-elles pas en dernière analyse solipsistes ? Plus profondément, le solipsisme n'est-il pas inhérent au transcendantalisme ? N'a-t-on pas ainsi fait disparaître le problème avec sa solution, s'il est vrai que la difficulté de la justice distributive naît avec la pluralité et la diversité des individus ? Sur fond de cette critique, vont donc se développer des théories récusant toute possibilité d'une conception universelle et formelle de la justice, des théories soutenant qu'il n'y a pas de

---

7. C'est bien évidemment là un point déjà remarqué par Rousseau, qui en tire avantage pour sa déduction du contrat social. Mais dans une autre approche, c'est là une difficulté centrale de toutes les théories contractualistes.

définition abstraite, générale, universelle du juste, mais qu'il n'y aurait en revanche de justice que pour une communauté humaine donnée à un moment historique donné.

La justice ne vaudrait dans ce cas que rapportée à une communauté historique particulière, et il y aurait alors autant de normes de justice ou de principes de justice qu'il y aurait de communautés effectives. Cela ne veut pas tout à fait dire que la justice n'aurait pas de valeur normative, ni qu'il n'y aurait pas de normes de justice : mais la valeur normative d'une règle de justice n'aurait de sens que pour la communauté humaine dont elle est la règle, dont elle est la norme. Pour l'apprécier, il faudrait prendre en compte les traditions particulières de cette communauté, la culture particulière de cette communauté. Dès lors, il faudrait renoncer à toute déduction des principes de justice, pour se tourner vers le déploiement des racines culturelles des différentes acceptions de la justice, tant historiquement que géographiquement. Radicalisé, ce pluralisme s'achève en relativisme et en historicisme.

Ces critiques insistant sur la valeur singulière de chaque communauté ont en effet été adressées à Rawls dans le cadre du débat américain : ce sont pour l'essentiel les critique qu'on a pu appeler communautariennes. Mais sommes-nous condamnés à ce dilemme ? Sommes-nous condamnés à devoir choisir entre d'un côté une posture universaliste transcendantale, et de l'autre, une posture relativiste communautaire ? Avec bien entendu les limitations inhérentes à chacune des ces postures : pour le dire vite, la posture universaliste permet certes d'articuler une normativité forte de son principe de justice, mais il risque fort de s'avérer impuissant. En effet, s'il permet d'articuler une critique de toutes les répartitions existantes et de toutes les conceptions effectivement pratiquées de la justice, il risque de manquer du point d'ancrage nécessaire pour donner à cette critique quelque efficience dans une communauté politique donnée. D'un autre côté, la posture communautaire prend bien en compte la réalité des communautés humaines effectives, mais risque pour sa part de ne rien trouver à redire au fait établi, sanctionné par un accord dans la communauté, par une tradition. Son pouvoir normatif est des plus faibles. Or, il me semble que la tentative de Walzer vise à élaborer une troisième voie, intermédiaire entre ces deux-là, et qui échapperait, ou du moins qui tente d'échapper aux inconvénients de chacune des postures précédentes, tout en se situant sur un plan différent de celui adopté par d'autres critiques de la pensée de Rawls, qui peuvent être comprises au fond comme des critiques politiques : critique de droite des libertariens, ou critique de gauche des postulats libéraux de Rawls. La démarche de Walzer s'accorderait politiquement, semble-t-il, avec celle de Rawls, et leur différend porterait davantage sur des questions d'ordre philosophique et méthodologique. Il s'agirait d'essayer d'ouvrir une brèche, de creuser un sillon dans ce débat, qui ne serait ni complètement communautaire ni totalement transcendantal.

Walzer, critique de Rawls

De ce point de vue, la critique que Walzer adresse à Rawls commence par s'engager sur le même chemin que les critiques communautaires : Walzer va en effet reprocher à Rawls le caractère abstrait de sa construction théorique. Mais il ne les suit pas jusqu'au bout, parce qu'il ajoute : Rawls définit une situation qui est au fond une situation limite. Ultimement, il peut se trouver des circonstances où la théorie de Rawls trouve un point d'application possible. Il écrit :

> Les hommes et les femmes derrière le voile d'ignorance, privés de toute connaissance concernant leur propre mode de vie, forcés de vivre avec d'autres hommes et d'autres femmes pareillement démunis trouveront peut-être, avec ô combien de difficultés, un

> *modus vivendi*, non pas un mode de vie, mais plutôt un mode de survie[8].

C'est-à-dire que la perspective de Rawls n'est pas totalement invalidée, mais plutôt radicalement inversée ; l'abstraction et la formalité de la théorie de Rawls ne sont pas les conditions de son universalité, mais au contraire les signes de son extrême singularité : il s'agit d'une doctrine de la survie dans des situations extrêmes. C'est pourquoi Walzer ajoute :

> Cela a sûrement une valeur euristique, mais pas forcément une valeur universelle.

Il continue, précisant sa critique au moyen d'une métaphore, celle de l'habitat :

> C'est comme si nous étions en train de prendre une chambre d'hôtel, un meublé refuge pour le modèle idéal de l'habitation humaine. Loin de chez nous, nous sommes reconnaissants de l'abri et des commodités que procure une chambre d'hôtel. Privés de toute connaissance de ce qui était notre propre maison, parlant avec d'autres dans la même situation, tenus à habiter des chambres dans lesquelles chacun d'entre nous serait susceptible de vivre, nous nous retrouverions dans quelque chose d'analogue à un Hilton, quoique plus indéterminé, avec cette seule différence que nous nous interdirions les suites luxueuses, toutes les chambres seraient exactement les mêmes, ou bien, principe de différence, s'il y avait des suites luxueuses, leur seule finalité serait d'accroître le travail de l'hôtel et de nous donner les moyens d'améliorer la qualité des autres chambres en commençant par celles qui en ont le plus besoin. Mais, même si ces aménagements allaient assez loin, nous garderions longtemps la nostalgie des maisons que nous saurions avoir habitées auparavant, sans plus pouvoir nous en souvenir. Nous ne serions pas moralement tenus d'habiter l'hôtel dont nous avons esquissé le schéma[9].

---

8. *Cf.* M. Walzer, *Critique et sens commun*, traduction de J. Roman, Paris, La Découverte, 1989, p. 24.
9. *Ibid.*

Si on suit cette métaphore, la situation originelle de Rawls n'a jamais qu'une validité limite : si nous nous retrouvons sur une île déserte, ou après des destructions massives, etc. La validité de la théorie rawlsienne n'est par conséquent que négative : elle ne saurait fonder des comportements positifs, qui tous supposent l'ancrage effectif dans une communauté historiquement donnée. Poussant un peu plus loin, Walzer cite Kafka, qui note dans son *Journal* :

> Je ne me suis jamais aussi bien senti chez moi que quand je suis dans une chambre d'hôtel.

Or, note Walzer, d'une part, même dans cette situation, Kafka ne peut pas faire l'économie du « se sentir chez soi ». Il y a ici quelque chose qui touche à un sentiment au-delà du sentiment de propriété : c'est plutôt un sens du lieu, de la convenance, et quand bien même on préfère les chambres d'hôtel, c'est à ce sentiment qu'il convient de faire droit. D'autre part, ceux qui se trouvent privés du sentiment d'être chez soi, qui sont contraints d'être à l'hôtel et qui s'y sentent en exil, les réfugiés, les expulsés, les apatrides, tous fondent un droit d'assistance minimal : il y a bien une morale universelle qui nous enjoint de leur donner l'équivalent d'une chambre d'hôtel, de leur donner les moyens de l'appartenance minimale à l'humanité. Mais qui ne voit qu'il s'agit là d'un pis aller, de mesures transitoires et temporaires, de mesures d'urgence ? Au-delà, il faut leur permettre d'avoir à nouveau un « chez soi », soit qu'ils puissent récupérer celui qu'ils ont perdu, soit qu'ils puissent en trouver un autre.

Ainsi Walzer accorde à l'universalisme de Rawls une certaine place : celle de définir des limites, ou encore de poser des règles négatives, qui définissent ce sans quoi il n'y a pas d'humanité possible, les menaces qui pèsent sur le statut même d'être humain. Mais en revanche, ces règles ne sauraient rien prescrire positivement, en ce qui concerne les inégalités, la répartition des biens, etc. Pour régler ces questions, nous devons prendre en compte les traditions culturelles propres à une communauté donnée. Là encore, cela ne veut pas dire qu'on doive nécessairement s'enfermer dans le particularisme. Il y a bien un universalisme à ce niveau aussi : mais sa caractéristique est qu'il cesse d'être formel. Il doit prendre en compte les appartenances effectives des individus, qui les spécifient comme tels.

Cette problématique gouverne à la fois une règle de méthode, ce qu'on pourrait appeler la prudence spécifique de celui qui s'engage dans la critique sociale : s'il veut être entendu de ceux auxquels il s'adresse, il lui faut s'adresser à eux de l'intérieur de la communauté, en en partageant les principaux présupposés, du moins si sa visée est de reconstruire une doctrine positive du juste (il en va autrement si son intervention est négative et vise à sanctionner un tort absolu, un manquement aux principes fondamentaux de la justice humaine). Telle est la visée de cette analytique des postures critiques que propose un livre comme *Critique et sens commun*[10], dont *la Critique sociale au XXe siècle*[11] représente en quelque sorte les études de cas qui l'accompagnent. Mais elle engage aussi une réflexion de fond sur la nature des règles juridiques et morales, et sur la manière dont nous rapportons non pas à un seul système de normes, mais à plusieurs.

C'est ce que précise Walzer dans le texte qui s'intitule « Les deux universalismes[12] ». Il y oppose un universalisme de surplomb, qui correspond précisément à l'universalisme négatif que nous évoquions à l'instant, à un universalisme qu'il appelle réitératif. Le modèle du premier peut être fourni par les grandes

10. M. Walzer, *Critique..., op. cit.*

11. *Id., la Critique sociale au XXe siècle*, traduction de Sebastian McEvoy, Paris, Métailié, 1996.

12. *Cf. infra* « Les deux universalismes », p. 83-110. Cette thématique a été reprise et développée par M. Walzer dans *Thick and Thin: Moral Argument at Home and Abroad*, Washington DC, Notre-Dame University Press, 1994.

religions messianiques, qui proposent une loi et un salut à prétentions universelles. Celui du second, en revanche, peut être fourni par une certaine lecture de la tradition juive, et Walzer en voit la première émergence avec le récit de la sortie d'Égypte[13]. En effet, celui-ci n'est que le plus célèbre d'une longue série d'exodes, pour divers peuples. Il n'y a pas un modèle universel de l'exode, mais à chaque fois une expérience singulière de la libération, bien que celle-ci puisse être répétée. Mieux, elle doit l'être, à chaque fois à nouveaux frais, pour chaque peuple, pour son propre compte. En ce sens l'expérience de l'exode est bien une expérience universelle : mais on comprend pourquoi ce type d'universalisme ne s'impose pas d'en haut, comme une loi obligée à laquelle tous devraient se plier. Il procède au contraire latéralement, par contiguïté pourrait-on dire : tel est le sens de la nécessité d'une expérience réitérée.

Le premier universalisme est en rapport avec la loi : il se réduit pour l'essentiel au décalogue ou à ses équivalents ; il proscrit l'inhumanité. Le second est en rapport avec le désir d'autonomie d'un groupe humain : un tel désir procède de ce qui configure le propre de chaque individu, de chaque groupe ; il exige que cette individualité ne soit pas réduite. Le désir d'autonomie n'est pas d'emblée universel : il est au contraire toujours singulier, mais il a une signification universelle. Dans un autre texte, Walzer écrit :

> Le caractère commun le plus important de l'humanité est le particularisme[14].

Ce qu'exprimait Merleau-Ponty quand il disait :

> C'est par ce que nous avons de plus propre que nous sommes entés sur l'universel[15].

---

13. *Cf. De l'exode à la liberté*, traduction de Micheline Pouteau, Paris, Calmann-Lévy, 1986.

14. *Cf. infra* « Le nouveau tribalisme », p. 111-129.

15. Merleau-Ponty, « Le langage indirect et les voies du silence », *Signes*, Gallimard, 1960.

Les sphères de justice

C'est sur fond de ces précisions et de ces distinctions qu'on peut aborder la signification des sphères de la justice selon Michael Walzer[16]. Le point de départ est le suivant, ainsi que l'a rappelé Paul Ricœur : l'existence sociale consiste à prendre part à des distributions[17]. Distribution de biens, qui sont bien entendu les biens matériels, mais qui sont aussi des biens symboliques, et plus largement, l'ensemble des rôles, places et valeurs que la société peut proposer à ses membres. L'idée qui règle la réflexion de Walzer est que chacun de ces biens, ou plutôt que chacune des catégories de biens est constitutive d'un ordre, au sens pascalien du terme. La tyrannie, c'est la confusion des ordres[18]. La distinction des ordres ouvre immédiatement sur des considérations qui sont en rapport avec l'inégalité : en effet, s'il y a plusieurs ordres, alors une distinction s'impose entre prédominance et monopole. La prédominance est celle d'un bien ou d'une sphère par rapport à d'autres sphères. Le monopole caractérise la situation où, au sein d'une sphère donnée, un groupe de gens accapare le bien constitutif de cette sphère. Or, note Walzer, il s'agit là de deux formes d'injustice fondamentalement différentes. On peut critiquer la prédominance, on peut critiquer le monopole, ou encore on peut critiquer la conjonction de la prédominance et du monopole. Mais ces critiques ne sont pas équivalentes. On aura ainsi trois contestations possibles des distributions, trois réclamations de justice : la première consiste à demander que le

16. *Cf.* M. Walzer, *Sphères de justice...*, *op. cit.*

17. *Cf.* Paul Ricœur, *Soi-même comme un autre*, Paris, Le Seuil, 1990, p. 293 *et sqq.* ; *le Juste*, Paris, Éditions Esprit, 1995, notamment p. 121-142.

18. « La tyrannie est de vouloir avoir par une voie ce qu'on ne peut avoir par une autre. On rend différents devoirs aux différents mérites : devoir d'amour à l'agrément, devoir de crainte à la force, devoir de créance à la science. » (*Pensées*, édition L. Brunschvicg, 332). Walzer cite explicitement Pascal.

bien dominant soit réparti, distribué de manière plus égalitaire (c'est le monopole qui est injuste) ; la seconde revient à réclamer qu'il n'y ait pas de bien dominant (c'est la prédominance qui est injuste) ; et la troisième revient à récuser à la fois tel groupe dominant et tel bien dominant, c'est-à-dire en fait le cumul de la prédominance et du monopole. Ce qui va intéresser Walzer, c'est le cas numéro deux. En effet, dans les cas un et trois, il s'agit de mettre à la place d'un groupe dominant un autre groupe dominant, ou encore de veiller à ce qu'aucun groupe dominant n'apparaisse. C'est ainsi que Walzer relit le marxisme : sa critique ressortit du cas numéro trois, puisqu'on conteste à la fois le monopole d'un groupe social (celui qui accapare la propriété privée des moyens de production) et la prédominance indue d'un bien (la domination de l'argent, qui se traduit aussi par l'emprise du capital sur le travail). Or, dans l'exemple du marxisme, on voit bien comment en fin de compte la critique du monopole va finir par l'emporter sur la critique de la prédominance : au fond, l'idée de la lutte des classes va opérer une réduction de la critique de la prédominance à la critique du monopole, et finira par rendre la prédominance illisible.

Une fois affirmée la prééminence de la critique de la prédominance sur la critique du monopole, on se trouve alors confronté à la question de l'extension respective des différents principes de distribution qui prétendent fonder un juste partage. Historiquement, trois principes de distribution se sont imposés comme pouvant ou devant régler la totalité des sphères, et de fait chacun de ces principes, s'il est pris exclusivement, correspond à un cas de prédominance illégitime. Ces trois principes sont le marché, le mérite et le besoin. Évidemment, chacun d'eux a aussi sa sphère de légitimité : la prédominance illégitime ne commence que lorsqu'un de ces principes prétend s'imposer aux autres et organiser la distribution de la totalité des biens dans la totalité des sphères. Ainsi le marché, quand il s'agit de la distribution des biens de consommation est l'un des principes les plus pluralistes et les plus légitimes qui soient. Le marché est en effet un lieu neutre, qui ne fait acception de personne, et dont le mécanisme de fixation de la valeur par l'offre et la demande apparaît comme le meilleur régulateur possible. Encore que, déjà à ce niveau, on s'aperçoit que le marché ne fonctionne jamais à l'état pur, et qu'il est sans cesse nécessaire de l'encadrer et de le réglementer pour précisément rétablir son principe. Mais si on l'étend au-delà de sa sphère propre, qu'on prétend par exemple lui demander de régler la sphère du pouvoir politique, alors on commet une entorse fondamentale au principe de différence des sphères et donc une injustice fondamentale. Si l'on monnaie des voix lors d'une élection, alors c'est une injustice fondamentale qui est commise. Ceci dit sans faire d'angélisme : il est évident qu'un politicien fera des promesses pour essayer de gagner des voix, et qu'on peut très bien y voir l'analogue d'un échange dans lequel d'un côté l'homme politique offre une promesse, et de l'autre les électeurs proposent leur suffrage. Mais l'échange marchand suppose que l'on échange deux biens : ce qui se produirait si j'échangeais ma voix contre un autre bien, une somme d'argent, un plat de lentilles ou que sais-je. Dans ce cas, c'est la communauté politique dans son ensemble qui se trouve lésée. Alors que le principe de la promesse ne lèse pas la communauté dans son ensemble ; mieux, la promesse dans la mesure où elle est publique, fait partie intégrante des formes de l'activité politique ; chacun est libre de croire ou de ne pas croire à la véracité des propos tenus lors d'une campagne électorale.

En ce qui concerne le mérite, il ne peut pas non plus fonctionner comme règle de distribution, pour deux raisons essentiellement. La première est que le mérite est un rapport social, qu'il est relatif à une échelle d'évaluation et se trouve conféré par le regard d'autrui. Le mérite n'est pas opposable, il ne peut être revendiqué : je ne peux pas exiger d'autrui la reconnaissance de mes mérites. En ce sens le mérite ne peut pas être un principe d'organisation. La seconde raison est que si le mérite était un principe de distribution, alors il faudrait une instance, institution ou individu, peu importe, chargée de répartir les différents mérites. Et cette instance serait en position de pouvoir quasi absolu : celui de contrôler tous les mérites et de dire « un tel a tel mérite et donc mérite telle place sociale ou telle rétribution, et tel autre, telle autre place et rétribution parce qu'il a un autre mérite ». Le mérite n'a sa place et sa justification qu'au sein d'une sphère sociale déterminée, en rapport avec une activité sociale singulière, où il est alors conféré par la reconnaissance des pairs, comme par exemple dans le cas des titres universitaires ou de l'attribution d'un prix littéraire (idéalement, s'entend).

Enfin, dernier critère, le besoin. On se rappelle que l'idéal communiste pouvait se décliner sous le mot d'ordre : « À chacun selon ses besoins. » En effet, quoi de plus fondamental et indiscutable que le besoin ? Mais très vite vont surgir des situations indécidables. Tout d'abord, quand il va s'agir de répartir entre individus ayant les mêmes besoins des biens plus rares que les besoins en question. Comment va-t-on procéder ? Et même si les biens sont en abondance, se poseront des questions de priorité : qui servira-t-on en premier ? On peut aussi penser que, indépendamment des questions de productivité, chacun a besoin de travailler, pour des raisons d'accomplissement personnel : comment sur la seule base de ce besoin répartir les différents emplois, les différents rôles sociaux ? Deuxième difficulté, inverse celle-là : il existe des biens qui ne correspondent à aucun besoin tels le pouvoir, l'honneur, la gloire, les objets de luxe, etc. Comment répartir ces biens si la règle de distribution est celle du besoin ? On voit par là que le caractère fondamentalement indéterminé du besoin interdit d'en faire une règle de répartition.

Ainsi, qu'il s'agisse du marché, du mérite ou du besoin, pour des raisons à chaque fois spécifiques, ces principes ne peuvent être tenus pour des règles de répartition et de distribution universelles.

Nous sommes alors conduits à ce que Walzer nomme le régime de l'égalité complexe. C'est-à-dire qu'au lieu de considérer l'égalité sous un seul point de vue, il faut envisager autant de rapports d'égalité qu'il existe de biens de nature différente à répartir, et donc de principes de répartition. On comprend dès lors que l'obligation de distinguer entre les sphères conduit à un pluralisme des principes de justice : ce n'est qu'ainsi que peut véritablement être tenue en lisière la prédominance d'une sphère sur une autre, par transgression d'un principe hors de ses frontières. Aux yeux de Walzer, ce qui spécifie le libéralisme moderne, ce n'est pas d'abord son individualisme ni d'avoir posé les individus comme fondamentalement égaux : c'est d'avoir précisément séparé les formes d'interventions, les logiques de fonctionnement et les principes de légitimité des institutions. Alors qu'on a en général eu tendance à ne retenir du libéralisme que l'affranchissement de l'individu des liens qui auparavant l'enserraient et le ramenaient à des groupes, à des communautés et à des traditions, Walzer souligne que ce qui était en jeu, c'était davantage l'autonomie des diverses sphères d'existence : que le religieux, le politique, l'économique, le scientifique obéissent à des législations différentes et hétérogènes. Comme il le remarque, ce que sépare le libéralisme, ce ne sont pas les individus, ce sont les institutions[19]. La liberté réside dans la séparation des institutions.

Il en suit que ce qu'il appelle « l'art de la séparation » n'est ni garanti ni enraciné par la séparation des individus, laquelle est un phénomène biologique et non pas un phénomène social ; elle est garantie et enracinée par la complexité sociale.

---

19. *Cf. infra* « La justice dans les institutions », p. 29-51.

> Nous ne séparons pas des individus, nous séparons des institutions, des pratiques, des relations de différentes sortes. [...] Nous cherchons à atteindre non pas la liberté de l'individu solitaire mais plutôt ce qu'on appellerait beaucoup mieux l'intégrité institutionnelle. Les individus peuvent être libres de toutes sortes de manières, mais on ne les libère pas en les séparant de leurs congénères ou de leurs compatriotes[20].

La véritable liberté ne consiste pas à pouvoir choisir en toute autonomie individuelle, mais bien à se voir garantir cette autonomie individuelle par l'autonomie qui sépare et divise les institutions. Cette autonomie des institutions, jointe au fait que nous appartenons à des cercles institutionnels divers et que pour chacun d'entre nous, le seul point d'intersection de ces cercles est son existence propre, voilà ce qui configure pour chacun son individualité et son autonomie. Il s'agit donc d'inverser le chemin de Rawls : partir au contraire de l'exigence de justice telle qu'on doit pouvoir la manifester en mettant en évidence la nécessité de séparer les institutions pour arriver à l'individu, beaucoup plus que de partir des individus pour arriver à une règle de justice universelle.

La place du politique

Il est vrai que se pose ici un problème redoutable : qui veillera à la séparation des sphères ? Quelle institution doit être en charge de mesurer la part qui revient à chaque institution ? Walzer ne peut pas faire l'économie de cette question, qui renvoie à la spécificité du politique. Mais il ne s'agit pas de retrouver ici un principe unitaire banni ailleurs. La seule forme d'organisation politique compatible avec la séparation des sphères est la démocratie, parce que c'est précisément en démocratie que les ajustements peuvent être librement débattus.

---

20. *Infra*, p. 45-46.

Il n'y a donc pas de ce point de vue entorse au principe de la séparation, quand on prône la répartition égalitaire entre tous les membres de la communauté politique du droit de vote et des autres attributs de la citoyenneté. Mais la difficulté qui surgit ici est celle des frontières de la communauté : aussi bien Walzer y est-il sensible, puisque l'examen de la citoyenneté se trouve dans son livre partagé en deux. Si l'examen du fonctionnement des institutions démocratiques y est renvoyé à la fin, dans le chapitre ultime consacré au pouvoir politique et à la citoyenneté proprement dite (*citizenship*), celui de l'appartenance est posé en ouverture, dans un chapitre intitulé « *Membership* ». Dans cette dualité se loge la question de la place du politique dans la séparation des sphères : à la fois une sphère parmi d'autres et la précondition de la séparation des sphères ; à la fois forme d'organisation du pouvoir, et position des limites de la communauté comme telle.

Au second sens, la citoyenneté est d'abord appartenance au groupe. On peut en trouver plusieurs analogues : l'appartenance au voisinage, l'appartenance à un club, à une association, l'appartenance à la famille. Tous ces cas comportent un certain nombre d'éléments communs : on partage avec un certain nombre d'autres des valeurs, des traditions ou des convictions, soit qu'on l'ait choisi de manière délibérée, soit qu'on s'y trouve placé et comme recevant ce partage en héritage. La communauté politique elle aussi consiste à partager un certain nombre de choses entre tous ceux qui en sont membres : la première de ces choses est le territoire. Ce qui fait que la première des données à reconnaître pour fonder la citoyenneté, c'est l'existence des nations, des nationalités, et éventuellement des minorités sur un territoire donné. Contre la vision d'un universalisme trop abstrait, Walzer commence par reconnaître la légitimité de la nation, c'est-à-dire qu'il n'y a de communauté politique que s'il y a partage par cette communauté d'un territoire. Va immédiatement s'ensuivre une conséquence importante : c'est un devoir d'assistance envers les exilés, les étrangers, ceux qui se trouvent là, à partager le même territoire, sans faire originellement partie de la communauté. La règle de justice commande ici que ce partage du territoire ne laisse personne sans voix : qu'il ne soit pas possible de créer des zones de non-droit, des catégories d'individus sans droit. Walzer écrit :

> Les citoyens sont libres, bien entendu, de créer un club, de rendre l'appartenance à celui-ci aussi exclusive qu'ils le désirent, d'écrire une constitution et de se gouverner les uns les autres. Mais ils ne peuvent pas revendiquer une juridiction territoriale et gouverner les gens avec lesquels ils partagent le territoire[21].

A ce moment, ils sortent de leur propre sphère et outrepassent leurs droits. Autrement dit, la communauté politique exige qu'on prenne en compte tous ceux qui la composent de fait. Une communauté politique ne peut pas se donner une définition exclusive par rapport à ceux qui partagent le même territoire.

L'autonomie, le désir d'autonomie qui fondait l'universalisme de second type, réitératif, trouve ici un point d'application ; cette autonomie, ce n'est pas pour un groupe d'individus de se constituer en communauté politique indépendante, c'est la possibilité de parvenir à une organisation qui respecte le droit de certains d'être des minorités. Plus particulièrement, le droit de l'étranger, réfugié ou travailleur immigré, est ici la pierre de touche de la justice, indépendamment d'ailleurs de leur statut effectif dans la société et notamment de leur place dans la hiérarchie sociale. Mais il est évident que si l'exclusion juridique se redouble de l'inégalité économique, elle est d'autant plus condamnable. Même si l'on estime que la réponse de Walzer à cette question est loin de résoudre tous les problèmes que posent en pratique l'existence de réfugiés ou d'immigrés, sa théorie a le mérite de souligner ce point, ou de mettre en tension la nécessité d'une communauté politique effective, donc

---

21. M. Walzer, *Sphères de justice...*, *op. cit.*, p. 102.

close jusqu'à un certain point, et la place à accorder à l'étranger résident. Par où aussi il évite les pièges du formalisme juridique, qui ignore le problème, ou du communautarisme, qui le résout trop vite.

C'est ainsi que peut se comprendre l'originalité de sa position dans le débat libéraux-communautariens, dans le débat sur le multiculturalisme aux États-Unis. Libéral, Walzer l'est assurément quand il souligne le fait que l'individu a plusieurs sphères d'allégeance, que c'est là une des conditions de sa liberté, et qu'il serait absurde et injuste de vouloir l'enfermer dans une seule d'entre elles et le ramener à une identité figée. Mais multiculturaliste il est aussi, quand il fait valoir que cette multi-appartenance reste une pluralité de formes d'appartenances, que l'individu n'est tel qu'à assumer des identités, certes mouvantes, mais définies, et que vouloir le détacher de tout lien est non seulement illusoire, mais socialement et politiquement pernicieux. Du reste, il montre bien que le mouvement de la société moderne la porte à un double pluralisme : celui des individus et celui des groupes d'appartenance, et que ces deux mouvements ont, jusqu'à un certain point, des effets inverses[22]. Il faut compenser la mobilité individualiste par la sédimentation des groupes, et combattre l'enfermement dans le groupe par la mobilité. Par où d'ailleurs Walzer retrouve ce qui est sans doute le principe le plus fécond de la politique américaine, tel qu'il avait déjà été formulé dans les années trente par Horace Kallen[23].

---

22. C'est notamment le cas dans un texte intitulé « Individus et communautés : les deux pluralismes », *Esprit*, juin 1995. Repris par la suite dans un volume *On Toleration*, New Haven et Londres, Yale University Press, 1997, dont la traduction française est à paraître au printemps 1998 chez Gallimard ; ce texte ne figure pas dans le présent volume.

23. *Cf.* M. Walzer, *What it means to be an American?*, New York, Marsilio, 1992. Sur ce point on consultera aussi Denis Lacorne, *le Multiculturalisme américain*, Paris, Fayard, 1997.

Juste un mot pour indiquer comment une telle perspective peut être féconde dans le contexte français : il me semble qu'elle permet d'une part d'analyser comment notre culture politique universaliste et individualiste se retrouve insidieusement « communautaire » à l'échelle de la nation tout entière[24], et d'autre part d'introduire dans ce modèle un minimum de pluralisme interne qui le dynamiserait sans le ruiner. Quoi qu'il en soit, il me semble que l'on gagnera à lire Walzer, et à méditer les exercices de philosophie politique qu'il nous propose dans ces lignes.

Les textes rassemblés dans ce volume sont pour la plupart parus en traduction française dans la revue *Esprit*. On trouvera parmi ces articles des correspondances et des renvois, mais la diversité même des formulations devrait rendre sensible la permanence des thématiques. « La justice dans les institutions » expose une compréhension neuve et féconde du libéralisme comme « art de la séparation ». « La critique communautarienne du libéralisme » précise les positions de Walzer dans le débat libéraux-communautariens. « Les deux universalismes » développe la conception walzérienne de l'universalisme réitératif. « Le nouveau tribalisme » tente de rendre compte de la résurgence des nationalismes, particulièrement en Europe du Centre et de l'Est après 1989. « Comment valoriser le pluralisme ? » est une méditation sur la signification du pluralisme de Berlin, qui pourrait valoir pour Walzer lui-même. « Pluralisme et social-démocratie » repense les idéaux de la gauche à la lumière des problèmes contemporains et de nouveaux cadres conceptuels proposés par l'auteur. « Communauté, citoyenneté et jouissance des droits » essaie de montrer qu'une conception inclusive de la citoyenneté ne peut pas se faire trop

24. C'est ce que vise Walzer quand il qualifie la citoyenneté jacobine de « communautaire ». *Cf. infra* « Communauté, citoyenneté et jouissance des droits », p. 167-181.

élitiste. « Exclusion, injustice et État démocratique » représente en quelque sorte l'envers du texte précédent, et insiste sur la valeur politique et morale de l'inclusion. Enfin, en guise de postface, l'entretien avec Chantal Mouffe reprend nombre de ces thèmes et en souligne la cohérence. L'éditeur remercie Michael Walzer d'avoir accepté cette réunion de quelques-uns de ses principaux essais, et de son soutien.

La justice dans les institutions

On peut considérer le libéralisme comme une certaine manière de dresser la carte du monde politique et social. L'ancienne carte, prélibérale, proposait l'image d'une étendue de terre essentiellement uniforme, dotée de rivières et de montagnes, de bourgs et de cités, mais sans frontières. « Chaque homme était une pièce du continent », a écrit John Donne, et le continent était d'une seule pièce. La société était appréhendée comme un tout, organique et intégré. Elle pouvait être étudiée du point de vue de la religion, de la politique, de l'économie ou de la famille, mais toutes ces notions s'interpénétraient pour constituer une réalité unique. L'Église et l'État, l'Église d'État et l'Université, la société civile et la communauté politique, la dynastie et le pouvoir, les charges et la propriété, la vie publique et la vie privée, l'échoppe et le foyer – chacun de ces couples, mystérieusement ou non, était unifié et les éléments en étaient indissociables. S'opposant à ce monde, les théoriciens libéraux ont préconisé et appliqué l'art de la séparation. Ils ont tracé des lignes délimitant des domaines spécifiques et dressé ainsi une carte sociopolitique qui nous est, aujourd'hui encore, familière. La séparation la plus célèbre est le « mur » érigé entre l'Église et l'État, mais il en est beaucoup d'autres. Le libéralisme est un monde de murs, et chacun d'eux engendre une liberté nouvelle.

Telle est la manière dont agit l'art de la séparation. Le mur dressé entre l'Église et l'État crée une sphère de l'activité religieuse, du culte public ou privé, des congrégations ou des consciences individuelles, dans laquelle les hommes politiques et les fonctionnaires ne doivent pas s'ingérer. La reine Élizabeth parlait comme une libérale – certes minimaliste – quand elle disait qu'elle « n'ouvrirait pas une fenêtre dans l'âme des hommes pour les surprendre[1] ». Les croyants sont libérés de toute forme de coercition officielle ou juridique. Ils peuvent trouver leur propre voie vers le salut, individuellement ou collectivement, ou encore manquer à la découvrir ; ils peuvent aussi refuser toute quête du salut. Cette décision leur appartient en propre : c'est ce que nous appelons liberté de conscience ou liberté religieuse. De même, la frontière tracée entre Église d'État et universités crée les libertés académiques, qui laissent les professeurs aussi libres d'enseigner que les croyants de croire. L'Université prend l'aspect d'une ville forte. Dans le monde hiérarchique du Moyen Âge, les universités étaient juridiquement fortifiées : les étudiants et les professeurs constituaient un groupe privilégié, exempt des peines et des châtiments dont était passible le commun des mortels. Mais c'était là une conséquence de l'intégration de l'Université et de l'Église (étudiants et professeurs étaient des clercs) et donc de l'Église et de l'État. C'est en raison même de cette intégration que les lettrés ne pouvaient jouir du privilège de pensées hérétiques. Aujourd'hui, les universités ne sont plus juridiquement fortifiées mais intellectuellement autonomes. Étudiants et professeurs n'ont plus de privilèges juridiques, mais ils sont, au moins en principe, absolument libres dans la sphère de la

1. J. E. Neale, *Queen Elizabeth,* New York, Harcourt Brace Jovanich, 1934.

connaissance[2]. Ils peuvent, individuellement ou collectivement, critiquer, questionner, suspecter ou rejeter les croyances établies de leur société. Ou encore, plus probablement, ils peuvent conforter ces croyances, le plus souvent de manière conventionnelle, mais parfois de manière neuve et expérimentale.

De même, la séparation de la société civile et de la communauté politique dégage la sphère de la concurrence économique et de la libre entreprise, celle du marché des biens, du travail et du capital. Je m'intéresse ici au premier de ces marchés, en donnant à l'idée de marché libre son acception la plus large. En ce sens, acheteurs et vendeurs de biens sont absolument libres de s'entendre comme bon leur semble, pour acheter ou vendre n'importe quoi, au prix qu'ils auront fixé d'un commun accord, sans interférence d'aucun fonctionnaire public. Il n'y a pas de juste prix, ou du moins pas de règlement fixant un juste prix, de même qu'il n'y a pas de lois somptuaires, pas de restriction à l'usure, pas de normes de qualité ou de sécurité, pas de salaire minimum, etc. La maxime *caveat emptor*, que l'acheteur prenne garde, suggère que la liberté du marché implique certains risques pour le consommateur. Mais il en va de même de la liberté religieuse : certains achètent des produits dangereux tandis que d'autres se convertissent à de fausses doctrines. Des hommes et des femmes libres doivent supporter de tels risques. Si mon propos n'était pas de simplement décrire la carte dressée par les libéraux, et de montrer qu'elle ne laisse pas moins de latitude aux biens qu'aux croyances, j'exprimerais mes doutes sur la pertinence d'une telle analogie : car des produits dangereux font courir des risques réels, tandis que les dangers des fausses doctrines ne sont que spéculatifs.

2. Les exemptions de service militaire sont peut-être une version moderne de ces libertés médiévales. C'est une confusion entre l'État et l'Université, non parce que la liberté universitaire est entravée, mais parce qu'un principe politique (l'égalité des citoyens face à la conscription) est nié.

Prenons un autre exemple : l'abolition du principe dynastique sépare la famille de l'État et rend possible un pendant politique du principe qui attribue les charges et fonctions selon le mérite, ce qui est la plus haute forme, pourrait-on dire, du marché du travail. Seul l'aîné d'une lignée désignée peut être roi, mais n'importe qui peut être président ou Premier ministre. De manière plus générale, la frontière qui sépare la position sociale et politique de la propriété familiale crée une sphère des charges et fonctions, et donc la liberté de concourir à n'importe quel emploi public ou privé, de se prévaloir d'une vocation, de prétendre à un certain niveau de salaire, de se spécialiser, etc. L'idée que la vie de chacun est un projet personnel tire probablement son origine de là. Elle doit être opposée à l'idée que la vie de chacun serait la perpétuation d'un héritage individuel. D'un côté, l'autodétermination par l'effort et la réussite, de l'autre, la prédétermination de la naissance et du sang.

Dernier exemple : celui de la séparation de la vie publique et de la vie privée. Elle crée la sphère de la liberté individuelle et familiale, délimite l'intimité et le foyer. Plus récemment, elle a été décrite comme sphère de la liberté sexuelle. C'est vrai, mais ce n'est pas originellement ni essentiellement cela. La vie privée englobe un très vaste champ d'intérêts et d'activités – tout ce que nous décidons de faire, à l'exception de l'inceste, du viol ou du meurtre, dans notre foyer, ou avec nos proches et nos amis : lire des livres, parler politique, tenir un journal, enseigner notre savoir à nos enfants, cultiver (et même négliger) notre jardin. « Charbonnier est maître chez soi » (*Our homes are our castles*), chacun est son propre maître, libre de toute surveillance. C'est sur cette liberté, qui nous paraît pourtant tellement évidente, que nous devons particulièrement insister tant elle est rare dans l'histoire de l'humanité (les postes de télévision-caméras décrits par Orwell dans *1984* sont une illustration particulièrement effrayante de violation de l'intimité du foyer). « Je suis roi en mon domaine » fut la première des revendications de ceux dont la demeure était fortifiée, et pendant très longtemps, ils en furent les seuls défenseurs. Désormais, toute transgression de ce principe soulève l'indignation et la colère, même parmi les citoyens ordinaires. Nous accordons une très grande valeur à notre vie privée, que nous en usions ou non pour nous livrer à des activités passionnantes ou singulières[3].

*

L'art de la séparation n'a jamais été particulièrement bien considéré par la gauche, et plus particulièrement par la gauche marxiste qui y a vu plus souvent une construction idéologique qu'une entreprise pratique. Les gens de gauche ont fréquemment mis en avant l'interdépendance essentielle des différentes sphères sociales ainsi que les chaînes de causalité directes ou indirectes qui émanent de l'économie. Vue sous l'angle marxiste, la carte libérale n'est qu'un artifice, un exercice sophistiqué d'hypocrisie. Ainsi, les dogmes religieux établis sont-ils adaptés aux besoins idéologiques d'une société capitaliste ; les universités sont organisées afin de renouveler l'échelon le plus élevé de la force de travail capitaliste ; les parts de marché des plus grandes compagnies et des plus grands groupes sont garanties et financées par l'État capitaliste ; les charges et les fonctions, quoique juridiquement non héréditaires, sont cependant transmises et échangées au sein de l'élite capitaliste au pouvoir ; et nous ne sommes libres dans nos foyers qu'aussi

---

3. L'art de la séparation reste une question importante pour le libéralisme contemporain, comme le montre l'exemple de Rawls, dans la *Théorie de la justice*. Ses deux principes, dit-il, « présupposent que la culture sociale peut être divisée en deux parts plus ou moins distinctes, le premier principe s'appliquant à la première, le second à l'autre. Ils séparent les aspects de la question sociale qui touchent à l'égalité dans la liberté et la citoyenneté de ceux qui établissent et spécifient les inégalités sociales et économiques », *Théorie de la justice*, Le Seuil, 1987, p. 92. Rawls redessine ainsi la vieille ligne qui sépare l'État et le marché d'une manière différente de celle que je propose ici. *Cf. infra.*

longtemps que ce que nous y faisons est sans danger pour l'ordre capitaliste, et tant qu'il ne lui est causé aucun préjudice. Les libéraux dessinent des frontières et les qualifient de murs, comme si elles avaient la solidité concrète de murs de briques ou de pierre, mais il ne s'agit que de lignes planes, doctrinales et vides de substance. L'univers social contemporain n'est qu'un tout organique, moins éloigné du féodalisme que nous ne le croyons. La terre a été remplacée par la richesse mercantile comme bien dominant, et si cette modification s'est bien répercutée à travers toutes les sphères de la vie sociale, elle n'a pas pour autant transformé l'essence du système.

Marx pensait pourtant que l'art libéral de la séparation n'avait été que trop efficace quand il avait eu pour conséquence, comme il le décrivait dans son essai sur la question juive, de créer « un individu séparé de la communauté, replié sur lui-même, entièrement préoccupé de son intérêt personnel et agissant selon ses propres caprices ». Je reviendrai sur cette argumentation plus tard car elle constitue une analyse importante des fondements théoriques du projet libéral. Pour l'instant cependant, contentons-nous de rappeler que, selon la vision de Marx, même l'égoïsme des individus séparés n'est qu'un produit des relations sociales, rendu nécessaire par les relations de production et étendu à toutes les sphères de l'activité sociale. La société demeure une entité organisée, même si ses membres ont perdu la conscience de leur appartenance à celle-ci. Le but des marxistes était de restaurer cette conscience, ou mieux, d'amener hommes et femmes à une nouvelle conception de leur indépendance, pour ainsi leur permettre de prendre le contrôle de leur vie commune. Pour Marx, la séparation, quand elle était réelle, était quelque chose à dépasser. Les institutions indépendantes, comme l'Église, l'Université ou même les familles, n'avaient pas de place dans son dessein ; leurs problèmes propres ne seraient résolus que par la révolution sociale. Pour Marx, la société ne peut être régie que comme un tout, à l'heure actuelle par une seule et unique classe, ultimement par tous ses membres œuvrant ensemble.

La critique de gauche de la séparation libérale peut cependant prendre une forme différente et prétendre que le libéralisme ne sert que des intérêts sociaux particuliers, et qu'il a limité et adapté son art à cette seule finalité. Il devient alors nécessaire de rendre cet art impartial ou, si c'est là un projet utopique, de parvenir au moins à le faire servir un champ d'intérêts plus vaste. A l'image des institutions de la société civile qui étaient protégées de l'État, il faut désormais les protéger du nouveau pouvoir qui émerge de la société civile elle-même : le pouvoir de la richesse. L'enjeu n'est pas d'abolir la séparation, ainsi que Marx le souhaitait, mais de l'appliquer et de l'étendre, de recruter cet outil libéral au service du socialisme. Les exemples les plus importants de cette extension de l'art de la séparation peuvent être relevés dans les domaines du pouvoir privé et de la démocratie industrielle, et l'on défendra ici cette extension jusqu'à un certain point. Mais il est d'abord nécessaire d'insister sur le fait que les séparations déjà accomplies en théorie, sinon toujours en pratique, sont importantes elles aussi. Même l'accès aux charges et fonctions selon le mérite est une exigence de gauche, et pas seulement libérale. Car le socialisme ne remportera jamais de victoire tant que les partis et les mouvements socialistes demeureront dirigés par une oligarchie gérontocratique dont les membres, issus des classes moyennes instruites, coopteront leurs propres successeurs, selon le modèle décrit par Roberto Michels[4]. Si l'on souhaite que des travailleurs et des intellectuels, énergiques et politiquement formés, atteignent des postes de direction, il faut qu'ils disposent d'un espace nécessaire pour développer leurs talents et gérer leurs carrières. Plus généralement, la vision qu'avait Marx de l'autodétermination individuelle et collective

4. Roberto Michels, *les Partis politiques*, Flammarion, coll. « Champs ».

nécessite (bien que Marx lui-même n'ait pas compris cette exigence) l'existence d'un espace préservé au sein duquel les choix réels peuvent être accomplis. Mais un tel espace ne peut exister que si la richesse et le pouvoir sont contenus et limités. La société est effectivement composée d'un seul tenant, au moins en ceci : ses diverses composantes ont en commun un air de famille, reflet apparent d'une détermination interne et génétique (au sens sociologique et non pas biologique). Mais cette ressemblance laisse suffisamment de place aux équivalents sociologiques de la rivalité fraternelle, de la scène de ménage, ou des enfants émancipés qui ont leur propre appartement. Ainsi, les évêques critiquent la politique de défense nationale, les universités abritent les dissidents extrémistes, l'État subventionne et réglemente l'activité des entreprises, etc. Dans chacun de ces cas, les institutions répondent à leur propre logique alors même qu'elles réagissent aussi à des déterminations du système. Le libre jeu de chaque logique interne ne peut être empêché que par une force tyrannique, transgressant les frontières, passant outre les murs établis par l'art de la séparation. La meilleure interprétation du libéralisme le présente comme un outil brandi contre une telle transgression. Mais le libéralisme serait dénué de sens et la tyrannie serait une politique superflue si n'existaient pas, ou ne pouvaient pas exister des Églises et des universités indépendantes et des États autonomes. Or ils peuvent exister, et même ils existent effectivement dans certains cas. L'art de la séparation n'est pas une construction illusoire ou fantastique ; il constitue une adaptation nécessaire, tant moralement que politiquement, aux complexités de la vie moderne. La théorie libérale renforce et complète un processus à long terme de différenciation sociale. Je voudrais souligner que, si les théoriciens ont souvent mal appréhendé ce processus, ils ont au moins eu le mérite de reconnaître son importance.

Les écrivains marxistes tendent à nier l'importance de ce processus. Il n'est, selon eux, qu'une transformation n'opérant aucune différence substantielle, qu'un événement ou une série d'événements ayant pour cadre principal le monde des apparences. Chaque liberté du libéralisme est irréelle. Ainsi, la liberté formelle du travailleur n'est qu'un masque apposé sur l'esclavage salarié ; la liberté religieuse, la liberté d'enseignement, la liberté d'entreprendre, l'autodétermination et l'intimité ne sont que des leurres qui cachent la poursuite ou le renforcement de l'aliénation : la forme est nouvelle mais le fond demeure identique. La difficulté d'une telle analyse réside dans le fait qu'elle ne peut être appliquée d'aucune manière pertinente à l'expérience réelle de la politique contemporaine ; elle n'est qu'une abstraction et un cas d'entêtement théorique. Personne, parmi ceux qui ont vécu dans un État non libéral, ne serait prêt à accepter cette dévaluation de l'étendue des libertés libérales. Les performances du libéralisme sont réelles, même si elles demeurent incomplètes. Leur reconnaissance est difficile au sein d'une pensée marxiste, car l'adhésion aux notions d'entité organique et de transformation structurelle ne s'accommode guère des concepts de sphères distinctes et d'institutions autonomes. Mais réaliser une telle accommodation n'étant pas mon propos, je souhaite poursuivre plus avant sur la voie de la critique selon laquelle les libéraux n'ont pas été suffisamment sérieux dans la compréhension de leur propre art. Et j'ajouterai que là où ils ont été sérieux, ils ont été guidés par une théorie inadéquate et égarante. Comme d'autres formes de la vie sociale ou de l'action politique, l'entreprise libérale se prête à plus d'une interprétation.

*

L'art de la séparation n'est pas seulement source de liberté, il est aussi générateur d'égalité. Revenons aux exemples par lesquels j'ai commencé mon analyse. La liberté religieuse annule le pouvoir coercitif des autorités religieuses et politiques, créant ainsi le sacerdoce de tous les croyants. La liberté de l'enseignement rend possible, théoriquement sinon toujours pratiquement, la protection d'universités autonomes, au sein desquelles il est difficile de prétendre à une situation privilégiée pour les enfants issus des milieux aisés ou aristocratiques. Le marché libre, quant à lui, est ouvert à tout nouvel arrivant, sans considération de croyance ou de race. Les parias et les déclassés peuvent ainsi exploiter ses opportunités et, quoique avec des résultats inégaux, se trouve remise en cause la hiérarchie sociale fondée sur la caste et le sang ainsi que sur le mérite même. La prise en considération des seules aptitudes des individus ouvre les mêmes chances à des personnes de mérite équivalent. Enfin, la notion d'intimité suppose qu'on attribue une valeur égale du point de vue des autorités à toutes les vies privées : le foyer ordinaire et le château bénéficient de la même protection.

Sous l'égide de l'art de la séparation, la liberté et l'égalité vont de pair et se rangent en fait à une même définition : on dira d'une société moderne, complexe et diversifiée qu'elle est caractérisée par la liberté et l'égalité lorsque les séparations érigées demeurent étanches et empêchent qu'un succès remporté dans un domaine social fondamental ne vaille de ce fait dans un autre domaine, c'est-à-dire si le pouvoir politique ne régente pas l'Église, ni la foi religieuse l'État, etc. Si des contraintes et des inégalités subsistent au sein de chacun des dispositifs institutionnels, elles ne sont guère préoccupantes tant qu'elles reflètent la logique des institutions et des pratiques propres à chacune de ces sphères et à elles seules (ou encore, comme je l'ai déjà défendu dans *Spheres of Justice*, les biens sociaux, comme le savoir, la santé, la richesse, les fonctions, sont distribués en fonction d'une vision partagée de leur nature et de leur destination[5]).

---

5. Walzer, *Spheres of Justice: A Defense of Pluralism and Equality*, New York, Basic Books, 1983.

Mais trop souvent, les séparations ne résistent pas. La réussite libérale a été de protéger un nombre important d'institutions du pouvoir politique. Elle s'est traduite par une limitation de la sphère d'activité du pouvoir politique. Les libéraux sont prompts à dénoncer comme autant d'atteintes à la liberté et à l'égalité la répression policière d'une minorité religieuse au nom d'une vérité théologique, la fermeture d'entreprises petites-bourgeoises au nom de la planification économique, ou l'atteinte à l'intimité et à l'inviolabilité des domiciles au nom de la moralité, de la loi ou de l'ordre. Ils ont raison de réagir dans ces cas précis. Mais ces exemples ne sont pas les seuls cas, ou les seuls types de cas dans lesquels la liberté et l'égalité sont menacées. Il nous faut étudier attentivement les manières dont la richesse économique, une fois la tyrannie abolie, peut elle-même prendre des formes tyranniques. La limitation du pouvoir est une réussite de l'art de la séparation, mais ce succès même peut paver la voie du pouvoir privé. La notion de « pouvoir privé », telle qu'elle est définie par les penseurs de la science politique, est à l'origine de la critique du libéralisme formulée par la gauche. La frontière entre la communauté politique et la société civile fut tracée de manière à établir une démarcation entre l'exercice de décisions coercitives et le libre échange. C'est ici qu'on trouve l'origine de l'abolition de la vénalité des offices, et du transfert, au profit de l'État, des prérogatives de justice et de conscription originellement détenues par les féodaux. On y retrouve également l'interdiction faite aux agents de l'État d'interférer dans les transactions sur le marché. Mais ce serait se faire une idée erronée de la société civile ou faire montre d'une piètre sociologie que d'affirmer d'emblée que le marché n'est caractérisé que par le libre échange et que la coercition ne doit y jouer aucun rôle. Les succès du marché franchissent les limites du marché (libre) de trois manières, étroitement apparentées. Premièrement, les flagrantes inégalités de richesse génèrent leur propre forme de coercition et ne laissent de nombreux échanges que très formellement libres. Deuxièmement, certaines manifestations du pouvoir du marché, dans des structures comme les grandes sociétés, engendrent des modalités de direction et d'obéissance dans lesquelles même les modalités d'échange deviennent très semblables à celles du pouvoir politique. Troisièmement, une extrême richesse, de même que la propriété ou le contrôle des forces de production, se transforme aisément en pouvoir, au sens le plus strict du terme : le capital fait ainsi régulièrement appel, et avec succès, au pouvoir de coercition de l'État[6].

Le problème est ici moins celui d'un manque de fermeté que celui d'un défaut de perception. Les théoriciens libéraux n'ont littéralement pas vu la richesse individuelle et la puissance des conglomérats en tant que forces sociales dotées de leur propre poids politique, distinctes de leur valeur sur le marché. Ils tendaient à instaurer un marché libre, et pensaient que s'opposer à l'interventionnisme étatique et libérer les entrepreneurs serait suffisant. Mais un marché libre, (relativement) protégé des trois formes de coercition que j'ai décrites plus haut, nécessite une structure positive. Le libre échange ne se maintiendra pas de lui-même ; il a besoin d'être soutenu par des institutions, des règles, des mœurs et des coutumes. Prenons un instant l'analogie avec la religion. L'art de la séparation a agi contre les théocraties, non pas seulement en délégitimant l'Église, mais en la privant de richesse et de pouvoir. Encore ne l'a-t-il pas fait au nom de la seule foi privée, mais aussi au nom de l'autogouvernement des congrégations. Le congrégationisme n'est en aucune façon le seul arrangement institutionnel une fois que l'Église et l'État ont été séparés, mais il en est la forme culturelle la plus adéquate, et la mieux à même de

6. La meilleure mise au point récente sur la transformation du pouvoir du marché en pouvoir politique se trouve dans Charles E. Lindblom, *Politics on Markets,* New York, Basic Books, 1983.

consolider la séparation. Dans la sphère économique, l'art de la séparation devrait fonctionner tant contre le capitalisme d'État que contre l'État capitaliste, mais il ne sera pas efficace s'il n'est pas accompagné par des dépossessions et des déconcentrations, et si aucune habitude culturelle appropriée n'est adoptée dans le cadre de la sphère économique. Le pendant économique de la liberté de conscience est l'esprit d'entreprise individuel, celui de l'autogouvernement des congrégations est la propriété coopérative. Sans dépossession et sans propriété coopérative, le marché aura tendance à prendre un tour déviant l'art de la séparation : de nouvelles connexions entre les domaines séparés se rétablissent alors rapidement. Comme je l'ai déjà indiqué, ce sont des connexions établies entre l'État et le marché, mais à présent issues de ce dernier plutôt que de l'État lui-même, et qui sont incontestablement puissantes et profondes. Une richesse non contenue, illimitée, menace de plus toutes les institutions et les pratiques de la société civile : la liberté de l'enseignement, les charges et fonctions ouvertes au mérite, l'égalité des « foyers » et des « châteaux ». Elle est moins évidente, plus insidieuse que la coercition de l'État, mais personne ne peut douter de la convertibilité de la richesse en pouvoir, privilège et position. Mais où sont donc les murs qui encadrent le marché ? Peut-être existent-ils déjà en principe, mais ils n'auront de réalité et d'effectivité que lorsque les pouvoirs privés seront socialisés, sur le modèle de la socialisation des Églises lorsque celles-ci furent rendues à leurs fidèles. La démocratie religieuse doit trouver son parallèle dans la démocratie industrielle. Je n'essaierai pas ici de définir quelque arrangement institutionnel que ce soit. Il en est de nombreux compatibles avec les deux conditions cruciales : qu'il n'y ait pas de place pour un pouvoir économique qui établit et détermine la politique, comme il n'y en a pas pour les prélats qui réclament un bras séculier.

Cette analogie entre le religieux et le politique nous permet d'entrevoir un libéralisme viable, à savoir un libéralisme fondé sur une fusion avec le socialisme démocratique. Mais il s'agit toujours d'un socialisme démocratique de nature libérale, qui ne requiert pas l'abolition du marché (pas plus que celle de la religion) mais plutôt une relégation du marché dans son propre espace. Si l'on prenait l'exemple du socialisme non libéral où l'État exerce un contrôle total sur la vie économique, le même impératif jouerait de manière inverse, non pas pour confiner le marché, mais au contraire pour rétablir son indépendance vis-à-vis du pouvoir politique. Ainsi, aux États-Unis, l'art de la séparation nécessite la limitation et la transformation du pouvoir issu de la concentration. En revanche, en URSS, le même art nécessiterait, entre autres choses, la libération de l'entreprise individuelle.

*

La justice distributive tient essentiellement à l'ajustement de ces frontières. Comment dessiner la carte du monde social pour que l'Église et l'école, l'État et le marché, l'administration et la famille trouvent chacun et chacune leur juste place ? Comment protégeons-nous les artisans de ces piliers institutionnels des intrusions tyranniques des puissants, des riches, des bien-nés et des autres ? Historiquement, les libéraux ont adopté, comme fondement de leur philosophie, une théorie de l'individualisme et des droits naturels. Ils ont établi des limites afin de garantir la sécurité et la libre activité de l'individu. Ainsi conçu, l'art de la séparation apparaît comme un projet très radical : il fait émerger un monde dans lequel chaque personne, chaque individu, homme ou femme, est séparé des autres. D'où l'affirmation de Marx :

> Les soi-disants droits de l'homme ne sont que ceux de l'homme égoïste, séparé des autres hommes et de la communauté.

Dans le processus de séparation, l'autonomie institutionnelle n'est qu'un moyen, en aucun cas une fin. La fin, c'est l'individu libre dans le cercle de ses droits et protégé de toute interférence extérieure. Idéalement, la société libérale n'est qu'une simple confédération de tels cercles, tenus ensemble par toute une série de connexions tangentielles, ou bien par de véritables intersections volontairement établies par chacun des membres[7]. Église, école, marché et famille ne sont que les produits d'accord individuels ; ils n'ont de valeur qu'en raison de ces accords et sont sujets en même temps aux schismes, retraits, annulations et divorces. La liberté religieuse est le droit pour tout individu de révérer *son* dieu (le pronom personnel singulier est très important), en privé ou en public, de la manière qu'il l'entend, et en compagnie des personnes de son choix. Elle n'a ainsi rien à voir avec la nature doctrinale et institutionnelle de la religiosité judéo-chrétienne en particulier. De même, la liberté de l'enseignement n'a pas particulièrement à voir avec l'Université en tant qu'institution : elle est seulement pour les individus le droit d'étudier, de discuter et d'écouter ce qui leur plaît. Et on peut comprendre de la même manière toutes les autres libertés.

L'adhésion individuelle est en effet un fondement important de nos institutions et les droits naturels sont à la base de nos libertés. Mais prises ensemble sans autre précision, ces deux notions font une bien mauvaise sociologie. Elles ne constituent en aucune manière un schéma explicatif de la cohésion sociale, pas plus qu'elles ne rendent compte de la manière dont les individus vivent en fait leur vie, jouissant de leurs droits au sein d'institutions effectives. Le but assigné par le libéralisme à l'art de la séparation, à savoir chacun dans son propre

7. Je n'insiste pas ici sur les « pluralistes » du début du siècle qui étaient, pour certains, libéraux, mais dont les arguments n'ont jamais atteint la dignité philosophique de la doctrine des droits individuels.

cercle, est hors d'atteinte. Il serait donc absurde d'imaginer un individu qui, de lui-même, choisirait de demeurer en dehors de toute institution et de toute relation tant que cela lui plaît, et qui déterminerait seul l'heure de son entrée dans ces schémas : un tel individu n'existe pas, ne peut exister et n'est pas concevable, dans quelque univers social que ce soit. J'ai écrit ailleurs[8] qu'on peut comprendre les contraintes auxquelles se soumet une personne en étudiant sa biographie, l'histoire de ses relations et de ses choix. J'avais alors raison, mais seulement parce que je considérais que toute l'histoire personnelle faisait partie de l'histoire sociale, parce que j'avais conscience que les biographies n'étaient pas indépendantes de leur contexte. L'individu ne crée pas les institutions auxquelles il participe, pas plus qu'il ne détermine entièrement ses contraintes et les obligations qu'il assume. L'individu vit au sein d'un monde qu'il n'a pas fait lui-même.

Le héros libéral, qui est son propre auteur et celui de ses rôles sociaux, n'est qu'un mythe : il est incarné par le Coriolan de Shakespeare, ce guerrier aristocratique, véritable anti-citoyen qui affirme, en vain, « vivre comme s'il était l'auteur de ses jours et ne se reconnaître aucun semblable[9] ». Cette revendication, transformée en idéal philosophique et en politique sociale, comprend d'effrayantes implications : elle est en effet démesurément destructrice et peut aboutir à des extrêmes comme les considérations récentes sur le droit des enfants de divorcer de leurs parents et inversement. Mais il s'agit là d'un individualisme exacerbé qui ne peut résister longtemps à la critique. le héros libéral est plus important comme postulat sociologique que comme idéal philosophique. Il ouvre la voie à des descriptions fictives de l'Église, de l'école, du marché, de

8. *Obligations: Essays on Disobedience, War and Citizenship*, Cambridge, Harvard University Press, 1970, p. 10.
9. *Coriolan*, acte V, scène 3.

la famille comme s'il s'agissait d'institutions créées de toutes pièces par l'action volontaire des individus. Cette fiction a un usage tactique : elle permet de réguler l'interférence de l'État dans la vie des institutions, car l'État est coercitif par nature, et permet de ne pas voir les autres formes d'interférence, plus subtiles (y compris la limitation de l'État que j'ai définie comme « pouvoir privé »). Plus concrètement, cette fiction limite les usages du pouvoir politique et absout l'argent en ce sens que, contrairement au pouvoir qui prend de force, l'argent achète, et ce en vertu d'une transaction qui apparaît comme un accord conclu entre individus. En fait, c'est souvent quelque chose de différent, comme nous pouvons le voir si nous replaçons la transaction dans son contexte et en examinons les mobiles et les effets. Nous serions alors conduits à conclure que, tout comme il y a des choses que l'État ne peut pas faire, il doit y avoir des choses que l'argent ne peut pas acheter : les votes, les fonctions, les discussions d'un jury, l'accès à l'université – pour tous ces cas, c'est relativement simple –, mais aussi les différentes sortes d'influence nationale et de domination locale qui vont avec le contrôle du capital. Mais déterminer les bonnes limites requiert une compréhension de la vie institutionnelle plus complexe que l'individualisme libéral ne peut en fournir.

L'Église, l'école, le marché et la famille sont des institutions sociales qui ont chacune leur histoire particulière. Ces institutions prennent des formes différentes selon les sociétés dans lesquelles elles sont étudiées et reflètent différentes idées de la foi, du savoir, des services et des obligations de civilité. En aucun cas elles n'apparaissent entièrement façonnées par la volonté et l'accord individuels, car ces accords n'existent qu'en fonction d'ensembles déterminés de règles, de coutumes et de formes de coopération qui les contraignent. Cet état de fait a pour conséquence une redéfinition de l'art de la séparation qui n'apparaît plus comme fondé ou garanti par la séparation et l'indépendance des individus (qui est un phénomène biologique et non social), mais par la complexité de la société. Ainsi ce ne sont pas les individus qu'on sépare, mais les institutions, les pratiques et les relations de toutes sortes. Les frontières que nous traçons séparent et entourent l'Église, l'école, le marché et la famille et non vous ou moi. Le but final devrait être non pas la liberté de l'individu solitaire mais ce qu'on pourrait appeler l'intégrité institutionnelle. Les individus devraient effectivement être libres, et de diverses manières, mais les séparer de leurs semblables ne leur procure pas la liberté.

L'indépendance de l'individu apparaît pourtant plus fondamentale que les institutions ou les relations sociales : elle offre un fondement plus ferme à la philosophie politique et sociale. Quand nous nous fondons sur l'individu, c'est du moins le point de vue d'un libéral, nous partons du fondement ultime. Mais ce socle appartient toujours à l'univers social : c'est toujours un « individu-en-société » et non un « individu-en-soi ». Personne n'a jamais vu l'individu-en-soi, et en inventer un serait une tâche épuisante et sans doute stérile. Nous ne nous voyons pas nous-mêmes comme des inconnus les uns pour les autres, des étrangers, des solitaires. Il serait même difficile d'imaginer ce que pourrait signifier la liberté pour de tels individus. Les hommes et les femmes sont libres quand ils ou elles vivent dans des institutions autonomes. Mieux vaudrait prendre comme modèle l'image d'un État libre – ni une colonie, ni une terre de conquête –, un État régi par des forces internes et non dirigé de l'extérieur. Les citoyens d'un tel État ne seraient libres qu'en un certain sens, un sens toutefois précieux, comme le savent tous ceux qui ont subi une invasion militaire. Nous ne dirons de ces habitants qu'ils sont libres dans toute l'amplitude du terme que s'ils vivent dans un État qui est intérieurement libre (nous préciserons cette notion plus loin), s'ils participent à la vie d'Églises libres, d'entreprises libres, etc. La liberté est additive, c'est la somme des libertés qui existent dans chaque domaine délimité et nous devons comprendre quels sont ces domaines si nous voulons en défendre les droits. De manière analogue, chaque liberté particulière suppose une forme particulière d'égalité, ou plus précisément, une absence particulière d'inégalité. Pas de conquérants ni de sujets, pas de croyants ni d'infidèles, pas de maîtres ni de disciples : la somme de ces absences constitue la société égalitaire.

*

Dans une perspective libérale, le problème n'est pas tant pour les individus d'être libres dans l'État que d'être libres vis-à-vis de l'État. C'est ainsi qu'ils sont protégés contre le pouvoir politique, analysé comme le monopole de la force physique et perçu comme une menace exorbitante planant sur l'individu solitaire. En revanche, si l'on se place au niveau des institutions, il apparaît que le pouvoir politique lui-même a besoin d'une protection, non seulement contre une conquête extérieure mais aussi contre une mainmise interne. L'État n'est pas libre quand le pouvoir est confisqué et exploité par les membres d'une famille, par le clergé, par des bureaucrates ou par des citoyens fortunés. Un contrôle de l'État dynastique, théocratique, bureaucratique ou ploutocratique produit tout sauf la liberté et l'égalité. On peut raisonnablement penser qu'une méritocratie aurait les mêmes effets, bien que je ne croie pas qu'il en ait jamais existé. Comparées à la famille, à l'administration, à l'Église et aux corporations, les universités et les écoles d'apprentissage apparaissent en effet relativement faibles et démunies en dépit de la possible politisation de leurs membres. Un État libre, dans une société complexe, est séparé de toutes les autres institutions pour être aux mains des citoyens dans leur ensemble, comme une Église libre doit être aux mains de ses fidèles, une université libre régie par les universitaires et les étudiants, et une firme aux mains de ses ouvriers et dirigeants. Et les citoyens sont ainsi libres au sein de l'État autant qu'ils sont libres vis-à-vis de l'État. C'est en fait en tant que croyants, savants, entrepreneurs, travailleurs, parents, etc., et non en tant que citoyens, qu'ils sont libres vis-à-vis de l'État ; ils sont égaux dans la production de la loi et non seulement devant la loi.

L'art de la séparation permet de séparer des dispositifs sociaux. Mais de manière flagrante, il ne parvient pas et il ne peut parvenir à établir une séparation absolue car une telle séparation rendrait impossible l'existence même de la société. Écrivant en faveur de la séparation religieuse qu'il prônait, John Locke affirmait, par exemple, que « l'Église est une institution absolument séparée et distincte de la République. Ses frontières sont définies et intangibles ». Mais c'est là une prétention excessive qui reflète davantage une théorie de la conscience individuelle qu'une étude des Églises et des pratiques religieuses. Ce qui se passe dans un domaine institutionnel a des influences dans tous les autres. Les mêmes personnes peuplent en fait les différents domaines et partagent une culture et une histoire communes, dans lesquelles la religion peut jouer un rôle plus ou moins grand. L'État, en tant qu'agent et défenseur de la séparation, a de plus une influence indéniable sur le dessin de la carte sociale. Il n'est pas tant un veilleur de nuit qui protégerait les individus de la coercition et de toute atteinte physique, que le bâtisseur et le protecteur des frontières ; il est responsable, entre autres choses, de l'indépendance des familles, des universités, des Églises à l'égard de toute interférence tyrannique. Si, comme il se doit, les membres de ces institutions tentent eux-mêmes de se défendre du mieux qu'ils peuvent, leur ultime recours en cas de menace réside dans l'appel à l'État, et cela demeure valable même lorsque la menace vient de l'État lui-même. Les individus font alors appel à une administration contre une autre, ont recours à un ministère contre un autre ou en appellent à la communauté des citoyens contre le pouvoir dans sa totalité.

Une des manières de juger des actions de l'État est de se pencher sur sa capacité à assurer l'intégrité des différentes institutions sociales, y compris sa propre intégrité. Prenons l'exemple limité des garanties et règlements de sécurité. La maxime *caveat emptor*, que l'acheteur prenne garde, est nous l'avons vu, une des règles du marché, mais elle ne couvre qu'une certaine sorte de risques. Elle se rapporte à la déception (« Je ne suis pas aussi chic que je le pensais dans mes habits neufs »), à la frustration (« Comme le prière d'insérer disait ce livre "accessible à tout lecteur intelligent", je l'ai acheté, mais je n'y comprends rien »), et même à des risques connus et prévisibles (« Ces cigarettes sont dangereuses pour la santé »). Vêtements, livres et cigarettes sont sans conteste des biens marchands. Mais la clause de prudence ne s'étend pas à des risques inconnus et imprévisibles, ni à des risques collectifs – comme par exemple ceux de la pollution de l'air par les voitures, ou des dangers de la voiture elle-même. Le degré de risque que nous assumons sur les autoroutes ou dans notre environnement quotidien fait l'objet de décisions politiques ; c'est du ressort de l'État et des citoyens, non des vendeurs et acheteurs sur le marché. Du moins, si l'on suit l'acception commune de l'État et du marché, telle que je la comprends. L'art de la séparation devient vraiment un art s'il parvient à tracer la ligne qui sépare le risque de déception du risque de catastrophe.

Mais cet art, lorsqu'il doit être mis en œuvre concrètement, est toujours sujet à controverse ; il soulève alors des problèmes d'information et d'interprétation. Qu'est-ce qui est en jeu dans tel règlement, dans tel dispositif institutionnel ? Et quelle est la logique interne de cet enjeu ? Ces questions doivent donner lieu à débat, pour chaque règlement et pour l'organisation générale de l'État. L'art de la séparation n'est pas un art ésotérique, mais une activité commune. Les libéraux cependant n'ont pas toujours reconnu ce caractère commun. Comme les droits individuels étaient en cause, ils ont confiné son appréciation, sa définition et sa mise en œuvre à un cercle restreint de philosophes ou de juges. En effet, ce sont les tribunaux et les cours de justice qui définissent le cercle des droits individuels[10]. En revanche, lorsque l'accent est mis sur les institutions, les pratiques et les relations sociales, on modifie le niveau de l'appréciation, de la définition, et la mise en œuvre de l'art de la séparation : on le socialise. Croyants, universitaires, travailleurs établissent et défendent les séparations ; puis les citoyens, pris en corps, les confirment par la décision politique. Le libéralisme se transforme finalement en socialisme démocratique quand la carte de la société est socialement définie.

Que se passe-t-il alors si quelque majorité méconnaît ou transgresse l'autonomie de telle ou telle institution ? Il s'agit là d'un risque inévitable de la démocratie. Puisque les frontières n'ont pas le caractère clair et distinct dont Locke les créditait, elles peuvent être établies çà et là de manière erronée. Les frontières entre la politique et l'économie ont depuis longtemps été mal dessinées : nous souffrons ainsi d'un abus de pouvoir du marché. Nous devons donc reconsidérer ces frontières et combattre démocratiquement afin d'obtenir leur redéfinition. Les résultats que nous obtiendrons ne seront probablement jamais totalement satisfaisants ; eu égard au caractère mouvant des États et des marchés, nous devrons sans cesse entreprendre leur révision. Discussions, revendications et combats n'ont donc pas de fin prévisible.

Qu'adviendra-t-il alors si des tyrans prennent le contrôle de telle ou telle Église, université, entreprise ou famille ? Michel Foucault a récemment affirmé qu'une discipline sombre et tatillonne avait été instaurée dans toute une série d'institutions, et que c'était là l'œuvre d'élites internes de spécialistes

10. A propos de la justice dans le rôle de la défense des droits, voir Ronald Dworkin, *Taking Rights Seriously*, Cambridge, Harvard University Press, 1977.

revendiquant un savoir scientifique et excluant ainsi les politiques[11]. Il me semble qu'il exagère le succès de ces élites et leur capacité à maintenir leur discipline sans avoir recours au pouvoir de l'État. Ce n'est qu'au sein d'États autoritaires que la « société disciplinaire » qu'il décrit, violant systématiquement l'intégrité des différentes institutions, est la plus susceptible d'apparaître. Parmi nous, les risques sont d'une autre nature ; ils sont ceux des revendications professionnelles et de leur inflation, de la corruption interne, des privilèges bureaucratiques, des peurs populaires ou de la passivité. Tous ces risques seront sans doute contenus pour autant que les différentes institutions seront socialisées, que leurs participants seront grossièrement égaux et qu'aucun groupe de croyants, de savants ou de propriétaires ne sera en mesure de s'approprier le pouvoir. Si les hommes et les femmes apprécient les rôles sociaux qu'ils jouent, ils seront plus à même de respecter les cadres qui les limitent. C'est là la forme socialiste que prend l'espoir libéral que les individus, assurés du cercle de leurs activités, n'empiètent pas sur celui des autres. Cet espoir demeure encore problématique mais il est plus réaliste : car l'individu dans son seul cercle est solitaire ; la vie des institutions est plus intense et plus satisfaisante.

---

11. Voir Michel Foucault, *Surveiller et punir. Naissance de la prison*, Gallimard, 1975. Les arguments de Foucault sont plus convaincants lorsqu'il parle des prisons, des hôpitaux et des asiles où les sujets soumis à la discipline sont physiquement, civilement ou mentalement dépendants, que lorsqu'il parle des écoles et des usines.

La critique communautarienne du libéralisme

C'EST BIEN CONNU, les modes intellectuelles sont un peu comme les modes en musique populaire ou en art ou comme la mode vestimentaire : elles n'ont qu'un temps. Mais il en est qui semblent réapparaître régulièrement. Tout comme les pantalons à plis ou les jupes courtes, ce sont les traits distinctifs et changeants d'un phénomène plus large et plus répandu – dans le cas de la mode, la façon de s'habiller. Elles ne durent pas longtemps mais réapparaissent de façon récurrente : on les sait passagères, on s'attend à ce qu'elles reviennent. On ne doit évidemment pas s'attendre à un futur où les pantalons auront toujours un pli et où les jupes seront à tout jamais courtes. Tout est dans la récurrence.

Bien qu'ayant une portée culturelle bien plus importante (infiniment plus importante ?), la critique communautarienne du libéralisme est un peu comme ces plis de pantalons : passagère, mais inéluctablement récurrente. Elle fait partie intégrante, quoique de manière intermittente, de la politique libérale et de l'organisation sociale. Son intérêt subsistera quels que soient les succès du libéralisme. En même temps, toute critique communautarienne, si pénétrante soit-elle, ne sera jamais rien d'autre qu'un trait passager du libéralisme. Un jour peut-être, de même qu'on est passé des culottes aristocratiques au pantalon plébéien, on assistera à une transformation plus radicale, qui rendra le libéralisme et sa critique tous deux hors de propos. Mais pour l'instant, je ne vois rien de semblable se produire et je ne suis d'ailleurs pas sûr qu'il nous faille l'espérer. Pour le moment, une telle critique récurrente n'est pas sans intérêt, même si ses acteurs n'ambitionnent que des victoires modestes et des assimilations partielles, disparaissant un temps lorsqu'on les rejette, les écarte ou les coopte, pour ensuite revenir à la charge.

Il est intéressant de comparer le communautarisme à la social-démocratie. Cette dernière a réussi à s'imposer de façon permanente aux côtés de et parfois même associée aux politiques libérales. La social-démocratie a ses propres critiques, essentiellement de type anarchiste et libertaire, qui reviennent périodiquement à la mode. Mais dans la mesure où elle encourage certains types d'identification communautaire, elle prête bien moins le flanc à la critique communautarienne que le libéralisme. Toutefois elle n'y échappe jamais entièrement, car libéraux et sociaux-démocrates souscrivent également à la croissance économique et font face, quoique de façon différente, aux formes de déracinement social qui résultent de cette croissance. La place qu'occupe la communauté elle-même au sein de la société moderne est essentiellement d'ordre idéologique ; elle n'a pas ses propres critiques récurrentes. Ne jouissant plus d'une présence forte, elle n'est à la mode que par intermittence, et on ne la critique que lorsqu'elle est à la mode.

La critique communautarienne n'en est pas moins influente. Referait-elle périodiquement surface si elle n'était capable d'impressionner nos esprits et d'affecter nos sentiments ?

Dans cet article, je compte étudier la portée de cette critique telle qu'elle existe en Amérique aujourd'hui. Je présenterai ensuite ma propre version – moins puissante peut-être que celles dont je vais parler pour commencer, mais plus susceptible de trouver sa place dans le cadre de la politique libérale (ou sociale-démocrate). Mon but n'est certes pas d'enterrer le communautarisme – je ne m'en sens pas la capacité – mais j'aimerais qu'il réapparaisse sous une forme plus cohérente, plus incisive qu'aujourd'hui. Le problème de la critique communautarienne aujourd'hui – je ne suis pas le premier à le souligner – est qu'elle oppose au libéralisme deux arguments différents, et profondément contradictoires. Le premier s'attaque essentiellement à la pratique libérale, le second vise avant tout la théorie libérale, mais ils ne peuvent être vrais en même temps. Il se pourrait que chacun soit partiellement juste – c'est bien cette validité partielle que je vais souligner – mais chaque argument, dans la mesure même où il est correct, sape la valeur de l'autre.

*

Le premier argument affirme que la théorie politique libérale reflète fidèlement la pratique sociale libérale. Comme si la théorie marxiste de l'idéologie comme reflet était littéralement vraie, et qu'on en avait ici un exemple, les sociétés occidentales contemporaines sont censées être la patrie d'individus radicalement isolés, d'égotistes rationnels, et d'agents existentiels, d'hommes et de femmes protégés, et en même temps divisés, par leurs droits inaliénables. Le libéralisme dit la vérité sur cette société asociale engendrée par les libéraux – en fait, engendrée non pas *ex nihilo,* comme le suggère leur théorie, mais à travers un combat contre les traditions, les communautés et les autorités, que l'on oublie dès qu'on leur échappe, de sorte que les pratiques libérales semblent ne pas avoir d'histoire. Le combat lui-même est célébré rituellement, mais fait rarement l'objet d'une réflexion. Les membres d'une société libérale ne partagent aucune tradition politique ou religieuse ; ils ne peuvent que raconter une seule histoire à leur propre propos : l'histoire de la création *ex nihilo,* qui débute dans l'état de nature ou la position originelle. Chaque individu s'imagine être absolument libre, désengagé et seul. Puis il entre dans la société et en accepte les obligations, uniquement dans le but de minimiser les risques qu'il court. Son but est la sécurité, et la sécurité, comme l'écrit Marx, est « l'assurance de son égoïsme ». Et tel qu'il s'imagine, tel il est *réellement,*

> c'est-à-dire un individu séparé de la communauté, replié sur lui-même, entièrement préoccupé de ses intérêts personnels et agissant selon sa fantaisie privée [...] Le seul lien entre les hommes est la nécessité naturelle, le besoin et l'intérêt privé[1].

(J'ai utilisé des pronoms masculins pour que mes phrases concordent avec celles de Marx. Mais il serait intéressant de poser la question, que l'on n'abordera pas ici, de savoir si cette première critique communautarienne parle de l'expérience des femmes : ne sont-elles liées les unes aux autres que par la nécessité et l'intérêt personnel ?)

Les écrits du jeune Marx illustrent l'une des premières expressions de la critique communautarienne, et sa remarque, qui date de 1840, garde aujourd'hui toute sa pertinence. Lorsqu'il décrit l'incohérence de la vie intellectuelle et culturelle moderne et la perte de capacité narrative, Alasdair MacIntyre fait la même réflexion, en un langage réactualisé et théorique[2]. Mais la seule théorie dont ait besoin la critique communautarienne du libéralisme, c'est le libéralisme lui-même. Les critiques peuvent se contenter, du moins l'affirment-ils, de prendre la théorie libérale au sérieux. Il suffit d'évoquer l'autoportrait de l'individu constitué uniquement par son désir obstiné, libre

---

1. Karl Marx, "On the Jewish Question", dans *Early Writings,* éd. par T. B. Bottomore, Londres, C. A. Watts, 1963, p. 26.

2. Dans Alasdair MacIntyre, *After Virtue. A Study in Moral Theory,* Londres, Duckworth, 1981.

de tout lien, sans valeur partagée, sans engagement, coutumes ou traditions (sans yeux, sans dents, sans goût, sans rien) pour le discréditer : il y a déjà là absence concrète de toute valeur. Quelle peut être la vie réelle d'un tel individu ? Imaginez-le essayant de maximiser ses utilités : pour la société, cela signifie la guerre de tous contre tous, la foire d'empoigne qui nous est familière, où, ainsi que l'écrivait Hobbes, il n'y a « d'autre but, d'autres lauriers que d'être le premier[3] ». Imaginez-le jouissant de ses droits : la société se réduit à la coexistence de sujets (*selves*) isolés, car, selon cette première critique, les droits libéraux ont plus à voir avec « l'exit » que la « voix[4] ». Ces droits se concrétisent dans la séparation, le divorce, le retrait, la solitude, la vie privée et l'apathie politique. Enfin, le fait même que la vie de l'individu puisse être décrite en faisant appel à ces deux langages philosophiques (le langage des biens de consommation et celui des droits) démontre mieux encore, selon MacIntyre, l'incohérence du libéralisme : dans une société libérale, les hommes et les femmes n'ont plus accès à une culture morale unique qui leur permettrait d'apprendre comment vivre[5]. Il n'y a ni consensus ni débat public sur la nature même de la vie bonne, d'où le triomphe du caprice personnel, mis en évidence, par exemple, dans l'existentialisme sartrien, qui est le reflet idéologique du caractère capricieux de la vie quotidienne.

Nous, libéraux, sommes libres de choisir, et nous avons le droit de choisir ; mais aucun critère, si ce n'est notre interprétation toute personnelle de nos propres désirs et intérêts, ne nous aide à guider nos choix. Nos choix manquent de ce fait

---

3. Thomas Hobbes, *The Elements of Law*, Ire partie, chap. 9, § 21. J'ai remarqué que les deux écrivains favoris des critiques communautariens de ce premier type sont Hobbes et Sartre. Est-il possible que ce soient ces deux auteurs qui révèlent le mieux l'essence du libéralisme, eux qui n'étaient pas des libéraux du tout dans l'acception habituelle de ce terme ?

4. *Cf.* Albert Hirschman, *Exit, Voice, and Loyalty*, Cambridge (Mass.), Harvard University Press, 1970.

5. *Cf.* A. MacIntyre, *After Virtue...*, *op. cit.*, chap. II et XVII.

de cohérence et de logique. Nous arrivons à peine à nous rappeler ce que nous avons fait la veille ; nous ne pouvons dire avec certitude ce que nous ferons demain. Nous ne pouvons pas correctement rendre compte de nous-mêmes. Nous ne pouvons nous asseoir ensemble pour raconter des histoires intelligibles, et nous ne nous reconnaissons dans les récits que nous lisons que lorsqu'ils sont fragmentés et sans intrigue, des équivalents littéraires de la musique atonale ou de l'art non figuratif.

Vue sous l'angle de cette première critique communautarienne, la société libérale est la fragmentation mise en pratique ; et la communauté est son contraire absolu, la patrie de la cohérence, des liens interpersonnels, et de la capacité narrative. Mais ce qui m'intéresse ici, ce sont moins les différentes descriptions que l'on pourrait faire de ce Paradis perdu que l'accent mis sur la réalité de la fragmentation qui succède à cette perte. C'est le thème repris par tous les communautariens contemporains : la complainte néo-conservatrice, les mises en accusation néo-marxistes, la sinistrose néo-classique ou républicaine. (Le recours au préfixe « néo » souligne une fois de plus le caractère intermittent ou récurrent de la critique communautarienne.) Il me semble que c'est un thème épineux, car si l'argument sociologique de la théorie libérale est correct, si la société s'est en fait décomposée, sans reste, en une coexistence problématique d'individus, nous pouvons supposer que la politique libérale est la mieux armée pour faire face aux conséquences problématiques de cette décomposition. S'il s'agit de créer une union artificielle et anhistorique d'une multitude de sujets isolés, pourquoi ne pas prendre comme point de départ conceptuel l'état de nature ou la position originelle ? Pourquoi n'accepterions-nous pas, à la manière libérale habituelle, que la justice procédurale prenne le pas sur toute conception substantielle du bien, puisque, étant donné notre fragmentation, nous ne pouvons nous attendre à nous mettre d'accord sur ce qu'est le bien ? Michael Sandel s'interroge :

une communauté qui donne la priorité à la justice peut-elle jamais être plus qu'une communauté d'étrangers[6] ? La question est intéressante, mais la question inverse est plus directement pertinente : s'il est vrai que nous sommes une communauté d'étrangers, que pouvons-nous faire d'autre que de donner la priorité à la justice ?

*

La seconde critique communautarienne du libéralisme nous tire de ce raisonnement, par ailleurs entièrement plausible. Elle soutient que la théorie libérale mésinterprète radicalement la vie réelle. Le monde n'est et ne saurait être ainsi. Ces hommes et ces femmes libérés de tout lien social, littéralement désengagés, seuls et uniques inventeurs de leur propre vie, dénués de critère ou de modèle commun qui les guident dans cette invention, ce sont des figures mythiques. Comment les membres d'un groupe peuvent-ils être étrangers les uns aux autres, alors que chacun est issu de parents, et que ces parents ont des amis, des proches, des voisins, des camarades de travail, des coreligionnaires, et des concitoyens – tous liens qui sont non tant choisis que transmis et hérités ? Le libéralisme a beau souligner l'importance de liens purement contractuels, il est évidemment faux de suggérer, comme semble parfois le faire Hobbes, que tous nos liens ne seraient que des « amitiés mercantiles », de nature volontariste et intéressée, qui ne pourraient survivre aux avantages qu'ils procurent[7]. Le propre de toute société humaine est que les individus qui y sont élevés

6. Ceci est le résumé, par Rorty dans R. Rorty, "The Priority of Democracy to Philosophy", in *Objectivity, Relativism, and Truth. Philosophical Papers*, vol. 1, Cambridge, Cambridge University Press, 1991, de l'argument de Sandel dans M. Sandel, *Liberalism and the Limits of Justice*, Oxford, Oxford University Press, 1982.

7. Thomas Hobbes, *De cive*, éd. par Howard Warrender, Oxford, Oxford University Press, 1983, Ire partie, chap. 1.

se trouvent engagés dans des réseaux de relations, des réseaux de pouvoir, et des communautés de sens. C'est cette propriété de pouvoir être engagé qui en fait des personnes d'un certain type. Ce n'est qu'alors qu'ils peuvent faire d'eux-mêmes des personnes d'un genre (marginalement) différent en réfléchissant à ce qu'ils sont et en agissant de manière plus ou moins différente à l'intérieur des limites définies par ces schémas, ces réseaux et ces communautés qui sont, bon gré mal gré, les leurs.

En substance, la deuxième critique affirme que la structure profonde de la société libérale elle-même est en fait communautaire. La théorie libérale déforme cette réalité. Dans la mesure où nous adhérons à cette théorie, nous sommes dépossédés de tout accès aisé à notre propre expérience d'appartenance communautaire. Selon le raisonnement des auteurs de *Habits of the Heart*, la rhétorique libérale limite notre compréhension des habitudes de notre propre cœur, et ne nous fournit pas les moyens de formuler les convictions qui nous constituent en tant qu'individus et qui nous lient à d'autres personnes à l'intérieur d'une communauté[8]. Ce que l'on présuppose ici, c'est que nous sommes en fait des personnes et que nous sommes en effet liés les uns aux autres. L'idéologie libérale du séparatisme ne peut nous enlever notre qualité de personne ni nos liens ; ce dont elle nous prive, c'est de la *conscience* que nous avons de notre personne et de nos liens. Cette dépossession se reflète ensuite dans la politique libérale. Elle explique notre incapacité à former des solidarités solides, des mouvements et des partis stables, qui rendraient nos convictions profondes tangibles et efficaces. Elle explique aussi notre totale dépendance (que Hobbes annonce avec clairvoyance dans *Léviathan*) à l'égard de l'État central.

---

8. *Cf.* R. Bellah *et al.*, *Habits of the Heart*, Berkeley, University of California Press, 1985.; et le commentaire de R. Rorty, "The Priority of Democracy...", *op. cit.*, note 12.

Mais comment doit-on comprendre cette rupture entre l'expérience communautaire et l'idéologie libérale, entre conviction personnelle et rhétorique publique, entre les liens sociaux et l'isolement politique ? Les critiques communautariennes du second type n'abordent pas cette question. Si la première critique repose en effet sur une théorie marxiste vulgaire de la réflexion, la seconde se fonde sur un idéalisme tout aussi vulgaire. Peu de théories dans l'histoire humaine se sont vu octroyer le pouvoir de dominer et de combattre la vie réelle que l'on semble accorder aujourd'hui à la théorie libérale. On ne l'a clairement pas accordé à la théorie communautarienne qui ne peut, selon le premier argument, triompher de la réalité du séparatisme libéral ni, selon le second argument, évoquer les structures déjà existantes du lien social. De toute manière, les deux arguments critiques sont contradictoires entre eux : ils ne peuvent être vrais en même temps. Le séparatisme libéral doit soit représenter soit déformer les conditions de la vie de tous les jours. Il se peut évidemment qu'il fasse un peu les deux (c'est la confusion habituelle), mais d'un point de vue communautarien, cette conclusion laisse à désirer. Car si la description de la dissociation et du séparatisme était – fût-ce partiellement – juste, il nous faudrait soulever la question de la profondeur, si l'on peut s'exprimer ainsi, de la structure profonde. Et s'il est vrai que nous sommes tous, jusqu'à un certain point, des communautariens dans l'âme, l'incohérence sociale telle qu'on la dépeint perd alors tout impact critique.

*

Mais ces arguments critiques sont tous deux en partie corrects. J'essayerai de dire en quoi chacun est correct, et m'efforcerai de savoir si l'on peut arriver à quelque chose de plausible à partir de ces vérités partielles. Commençons par le premier argument. Il ne fait aucun doute que nous vivons, aux États-Unis, dans une société dont les individus sont relativement dissociés et séparés les uns des autres, ou plus exactement, s'éloignent continuellement les uns des autres : sans cesse en mouvement, un mouvement solitaire et apparemment aléatoire, ils semblent participer à ce que les physiciens appellent un mouvement brownien. Nous vivons ainsi au sein d'une société profondément instable. Nous saisirons plus clairement les diverses formes d'instabilité en dressant l'inventaire des mouvements les plus importants. Considérons donc les *quatre mobilités* (pour parler à la manière des Chinois).

Mobilité géographique

Il semblerait que les Américains déménagent plus souvent que tout autre peuple dans l'histoire de l'humanité, du moins depuis la fin des invasions barbares, et en exceptant certaines tribus et familles nomades chassées par les guerres civiles ou étrangères. Déplacer les gens et leurs biens d'une ville (grande ou petite) à l'autre constitue aux États-Unis une industrie majeure, même si beaucoup se débrouillent pour déménager par eux-mêmes. D'une certaine manière, nous sommes en fait tous en déplacement, migrants volontaires et non réfugiés. Cette mobilité géographique extensive atténue certainement tout sentiment d'appartenance à un lieu, mais il m'est difficile de dire si celui-ci est ou non remplacé par l'insensibilité, ou au contraire par un sens nouveau d'appartenance à plusieurs lieux. Quoi qu'il en soit, il semble probable que le sentiment communautaire perd de son importance. Bien qu'elles soient bien plus que de simples lieux, les communautés réussissent néanmoins le plus souvent lorsqu'elles sont rattachées de façon permanente à un lieu spécifique.

Mobilité sociale

Nous n'abordons pas dans cet article le débat concernant la meilleure façon de décrire le rang social ou de mesurer les changements en fonction du revenu, du niveau d'éducation, de l'appartenance à une classe, ou du rang dans la hiérarchie des statuts sociaux. Nous nous contenterons de souligner que, par rapport à ce qui se passe dans n'importe quelle autre société dont nous avons une connaissance comparable, moins d'Américains en sont exactement là où l'étaient leurs parents, ou font encore ce que faisaient ceux-ci. Les Américains héritent évidemment de beaucoup de choses de leurs parents. Mais le fait qu'ils mènent une vie différente, entre autres en gagnant leur vie autrement, montre bien que l'héritage de la communauté, c'est-à-dire la transmission de croyances et de traditions, est à tout le moins incertain. Que les enfants soient ou non privés de toute capacité narrative, il est probable qu'ils ne racontent pas les mêmes histoires que leurs parents.

Mobilité matrimoniale

Les taux de séparations, de divorces et de remariages sont aujourd'hui plus élevés qu'ils ne l'ont jamais été au sein de notre propre société et probablement plus élevés qu'ils ne l'ont été dans toute autre société (sauf peut-être chez les aristocrates romains, mais je ne connais aucun chiffre datant de cette époque, seulement des anecdotes). Les deux premiers types de mobilité – géographique et sociale – perturbent eux aussi la vie de famille, de sorte que des frères et sœurs vivent souvent à de grandes distances les uns des autres ; et que, plus tard, devenus oncles et tantes, ils se trouvent fort éloignés de leurs neveux et nièces. Mais ce que nous appelons les « foyers brisés » résulte de ruptures conjugales, de maris ou de femmes qui quittent le domicile, pour ensuite, très souvent, reformer un couple avec de nouveaux partenaires. Dans la mesure où la famille est la première communauté et la première école où s'acquièrent une identité ethnique et des convictions religieuses, ce type de rupture a nécessairement des conséquences qui vont à l'encontre du sentiment communautaire. Cela signifie qu'il arrive souvent que des enfants n'entendent pas, chez les adultes avec qui ils vivent, les mêmes histoires ni des histoires continues. (La majorité des enfants a-t-elle jamais entendu de telles histoires ? Le décès de l'un des époux et le remariage de l'autre furent autrefois peut-être aussi courants que le sont aujourd'hui divorces et remariages. Mais il faut néanmoins tenir compte d'autres types de mobilité : les hommes et les femmes sont aujourd'hui plus susceptibles d'épouser quelqu'un qui appartient à une classe, une religion ou un groupe ethnique différent ; le remariage peut alors donner lieu à des familles extraordinairement complexes et socialement diversifiées, probablement sans précédent dans l'histoire.)

Mobilité politique

Au fur et à mesure que la position et le statut social et l'appartenance à une famille deviennent moins essentiels pour la formation d'une identité personnelle, la loyauté à des dirigeants, des mouvements, des partis, des clubs et des dispositifs urbains décline rapidement. Les citoyens libéraux restent en dehors de toute organisation politique et choisissent ensuite celle qui sert le mieux leurs idéaux ou leurs intérêts. Idéalement, ce sont des électeurs indépendants, c'est-à-dire des gens qui bougent ; ils préfèrent faire leur propre choix plutôt que de voter comme leurs parents, et, plutôt que de se répéter, font un nouveau choix à chaque fois. Comme leur nombre augmente, ils constituent un électorat volatile, provoquant une instabilité institutionnelle, tout particulièrement au niveau local où l'organisation politique servait, autrefois, à renforcer les liens communautaires.

L'évolution sociale, dont nous pouvons sans doute parler en faisant appel à cette même métaphore du mouvement – les progrès de la connaissance, les progrès techniques, etc. –, multiplie de diverses façons les effets des *quatre mobilités*. Mais je ne m'intéresse ici qu'au mouvement réel des individus. Le libéralisme est, d'abord, l'aval et la justification théoriques de ce mouvement[9]. Selon les libéraux, donc, les *quatre mobilités* représentent la promulgation de la liberté et la recherche du bonheur (privé ou personnel). Et il faut reconnaître que, vu sous cet angle, le libéralisme est un credo authentiquement populaire. Toute tentative de réduire cette mobilité dans les quatre domaines décrits ci-dessus exigerait un recours massif et brutal au pouvoir d'État. Néanmoins, cette popularité ne va pas sans une tristesse et un mécontentement qui s'expriment de façon intermittente. Le modèle communautarien est tout simplement l'expression intermittente de ces sentiments. Il reflète le sentiment d'une perte, d'une perte très réelle. Les gens ne quittent pas toujours leurs anciens quartiers ou leurs villes natales de bon gré et avec plaisir. Si l'on en croit notre mythologie culturelle courante, changer de lieu représente sans doute une aventure personnelle. Mais dans la vraie vie, elle est souvent vécue par la famille comme un traumatisme. On peut dire la même chose de la mobilité sociale ; elle fait descendre aussi bien que monter le long de l'échelle sociale et exige des réajustements qui ne sont jamais facilement consentis. Les ruptures de couple donnent parfois lieu à de nouvelles unions plus solides, mais elles accumulent aussi ce que l'on peut appeler des fragments de familles : des ménages de parents célibataires, des hommes et des femmes séparés et seuls, des enfants abandonnés. Et l'indépendance en politique revient souvent à un isolement qui n'est pas très glorieux : des individus qui ont des opinions sont séparés des groupes qui ont des programmes. Il en résulte un déclin du « sens de l'efficacité », qui à son tour affecte à la fois le sens de l'engagement et le moral.

Bien que nous puissions comprendre plus d'aspects des autres qu'autrefois, bien que nous leur reconnaissions un plus grand éventail de potentialités (y compris la possibilité d'aller

9. Et aussi sa mise en pratique dans l'ouverture des carrières aux talents, le droit de se déplacer librement, la légalisation du divorce, etc.

ailleurs), tous comptes faits, nous libéraux nous nous connaissons probablement moins bien, et avec moins de certitude, que les gens autrefois. Nous sommes plus souvent seuls qu'avant, nous n'avons plus de voisins sur lesquels compter, de parents proches géographiquement ou affectivement, ou de camarades au travail ou dans les mouvements. C'est la part de vérité du premier argument communautarien. Il nous faut maintenant déterminer les limites de cette vérité en analysant en quoi le second argument est vrai.

Sous sa forme la plus simple, le second argument, à savoir que nous sommes dans le fond des êtres communautaires, est certainement vrai, mais sa portée est douteuse. L'attachement à un lieu, l'appartenance à une classe ou un statut, à une famille, et même les liens avec la politique résistent remarquablement aux *quatre mobilités*. Prenons un seul exemple, qui concerne la quatrième des *mobilités* : de nos jours encore, dans cette société si libérale et si mobile, il est toujours vrai que la meilleure façon de prévoir le vote des gens est de savoir comment votaient leurs parents[10]. Tous ces jeunes républicains et démocrates, imitateurs zélés, témoignent de l'échec du libéralisme à faire de l'indépendance ou de l'entêtement de l'esprit la marque distinctive de ses adhérents. La valeur prédictive du comportement parental se vérifie même pour les électeurs indépendants : ils sont simplement les héritiers de l'indépendance. Mais nous ne savons pas dans quelle mesure des héritages de ce type constituent une ressource communautaire de plus en plus réduite ; il se peut que chaque génération transmette moins qu'elle ne reçoit. La pleine libéralisation de l'ordre social, la production et la reproduction d'individus qui s'inventent eux-mêmes peuvent prendre beaucoup de temps, plus en fait que ce à quoi les libéraux eux-mêmes s'attendaient. Mais

10. Voir A. Campbell *et al.*, *The American Voter*, New York, Wiley, 1960, p. 147-148.

ce n'est guère consolant pour les critiques communautariens : tout en reconnaissant et valorisant la survie de coutumes plus anciennes, ils ne peuvent compter sur la vitalité de ces vieilles coutumes et doivent, à ce sujet, éprouver une grande anxiété.

Il existe cependant une approche différente du second argument critique et de sa part de vérité. Quelle que soit la portée des *quatre mobilités*, celles-ci ne semblent pas pouvoir nous séparer à tel point que nous ne puissions plus parler les uns avec les autres. Nous sommes rarement du même avis, bien sûr, mais nos désaccords s'expriment de façon mutuellement compréhensible. Je pense qu'il est évident que les controverses philosophiques dont se plaint MacIntyre ne sont pas, en fait, la marque d'une incohérence sociale. Là où il y a des philosophes, il y a des controverses, tout comme là où il y a des chevaliers, il y a des tournois. Mais ce sont là des activités hautement ritualisées, qui témoignent, non de l'absence de liens, mais au contraire de l'existence de liens entre les protagonistes. Dans les sociétés libérales, le conflit politique prend rarement une forme si extrême qu'il exclue la négociation, le compromis, la justice procédurale, ou même la possibilité de s'exprimer parmi les protagonistes. La lutte pour la défense des droits civils en Amérique est un bon exemple de conflit auquel convenait et convient encore tout à fait notre langage moral et politique. Le fait que la lutte n'ait eu qu'un succès partiel est le reflet d'échecs et de défaites politiques, et non d'une quelconque insuffisance linguistique. Les discours de Martin Luther King reposaient sur une tradition tangible, sur un ensemble de valeurs communes telles que les désaccords publics pouvaient se limiter à la question de savoir comment (et à quelle vitesse) elles pourraient être réalisées au mieux[11]. Mais il ne s'agit pas ici (si je puis m'exprimer ainsi) d'une tradition traditionaliste,

11. Voir l'évocation de King dans Bellah *et al.*, *Habits...*, *op. cit.*, p. 249 et p. 252

d'une tradition de *Gemeinschaft*, d'une survivance du passé pré-libéral. Il s'agit d'une tradition libérale modifiée sans aucun doute par différents types de survivances. Les modifications sont le plus clairement de type protestant et républicain, quoique non exclusivement : les années des grandes immigrations ont en effet drainé dans leur sillage un grand nombre de souvenirs ethniques et religieux qui influencent la politique américaine. Mais toutes ces modifications concernent le libéralisme. Le langage des droits individuels – l'association volontaire, le pluralisme, la tolérance, la séparation, la vie privée, la liberté de parole, l'ouverture des carrières au talent, etc. – est tout simplement inévitable. Y en a-t-il parmi nous qui songent sérieusement à y échapper ? Si en effet nous sommes des *sujets* situés, comme l'affirme la seconde critique communautarienne, notre situation est largement appréhendée par ce vocabulaire. C'est en cela que réside la vérité du second argument. Dès lors, cela a-t-il du sens de soutenir que le libéralisme nous empêche de comprendre ou de maintenir les liens qui nous unissent ?

D'une certaine manière, on peut répondre que oui, parce que le libéralisme est une doctrine étrange, qui semble continuellement se déconsidérer, dédaigner ses propres traditions, et fait naître, à chaque génération, de nouveaux espoirs d'une libération plus absolue vis-à-vis de l'histoire et de la société. Une partie importante de la théorie politique libérale, de Locke à Rawls, représente une tentative de fixer et de stabiliser la doctrine afin de mettre fin à cette libération libérale sans fin. Mais au-delà de toute version admise du libéralisme, il existe toujours un superlibéralisme, qui, comme le dit Roberto Unger de sa propre doctrine,

> pousse les prémisses libérales concernant l'État et la société, concernant la liberté à l'égard de la dépendance et de la conduite des relations sociales par la volonté, à tel point qu'elles se confondent en une seule grande ambition : construire un monde social

moins étranger à un soi qui peut à tout moment transgresser les règles génératives de ses propres constructions mentales ou sociales[12].

Bien que Unger ait été assimilé, à une certaine époque, aux communautariens, cette ambition, certes considérable, semble conçue pour faire obstacle non seulement à toute stabilisation de la doctrine libérale, mais également à toute reconquête ou création de communautés. Car on ne peut imaginer de communauté qui ne serait pas hostile à un soi éternellement transgressif. Si les liens qui nous lient les uns aux autres ne nous *lient* pas, il ne peut y avoir de communauté. Une chose en tout cas est vraie de la théorie communautarienne : elle est l'antithèse de la transgression. Et le soi transgressif s'oppose même à la communauté libérale qui le crée et le soutient[13].

Le libéralisme est une doctrine autosubversive ; c'est pour cette raison qu'il appelle périodiquement un correctif communautarien. Mais accuser le libéralisme d'être littéralement incohérent ou suggérer qu'il pourrait être remplacé par quelque communauté prélibérale ou antilibérale, qui serait en attente, déjà sous-jacente ou prête à poindre à l'horizon, n'est pas une forme de correctif particulièrement utile. En fait, rien n'est en attente ; les communautariens américains doivent reconnaître qu'il n'y a ici rien que des sujets libéraux, séparés, ayant des droits, en association volontaire, s'exprimant librement. Ce serait pourtant une bonne chose d'apprendre à ces sujets à se connaître eux-mêmes en tant qu'êtres sociaux, comme produits (et en partie incarnations) historiques des valeurs libérales. Car la correction apportée au libéralisme par les communautariens

---

12. R. M. Unger, *The Critical Legal Studies Movement*, Cambridge (Mass.), Harvard University Press, p. 41.

13. *Cf.* Buff-Coat (Robert Everard) dans les débats Putney : « Quelles que soient [...] les obligations qui me lient, si après Dieu devait se révéler, je les romprais vite, même cent fois par jour », in *Puritanism and Liberty,* éd. par A. S. P. Woodhouse, Londres, J. M. Dent, 1938, p. 34. Buff-Coat est-il le premier superlibéral ou Unger un saint puritain moderne ?

ne peut être qu'un renforcement sélectif de ces mêmes valeurs, ou, pour reprendre l'expression bien connue de Michael Oakeshott, une recherche, à l'intérieur même de ces valeurs, de signes, d'indices de communauté.

*

Il convient d'entamer cette recherche en partant de l'idée libérale d'association volontaire, que les libéraux et leurs critiques communautariens ne comprennent pas bien, me semble-t-il. Dans sa théorie comme dans sa pratique, le libéralisme exprime, parallèlement à ses tendances dissociatives, de fortes tendances associatives : ses protagonistes forment des groupes tout autant qu'ils se séparent des groupes qu'ils forment ; ils s'engagent et donnent leur démission, ils se marient et divorcent. Néanmoins, c'est une erreur (très caractéristique du libéralisme) de penser que les formes d'association existantes soient entièrement, voire largement, volontaires et contractuelles, c'est-à-dire le résultat de la seule volonté. Dans une société libérale, comme dans toute autre société, les gens naissent dans des types de groupes très importants : ils naissent avec une identité, homme ou femme, de classe ouvrière par exemple, catholiques ou juifs, noirs, démocrates, etc. Beaucoup des associations auxquelles ils participent plus tard (leur future carrière par exemple) ne sont que l'expression de ces identités sous-jacentes, et qui, une fois encore, ne sont pas tant choisies que mises en œuvre[14]. Le libéralisme se distingue moins par la liberté de former des groupes sur base de ces identités que par la liberté de quitter ces groupes et parfois même ces identités.

---

14. Mon intention n'est pas ici de proposer un argument déterministe. Nous naviguons essentiellement dans des mondes dont nous avons hérité parce que nous nous y sentons plus à l'aise et que nous les trouvons stimulants. Mais, par ailleurs, nous les quittons lorsque nous les trouvons étroits – et le libéralisme rend cette fuite bien plus facile qu'elle ne l'était du temps des sociétés prélibérales.

Dans une société libérale, l'association représente toujours un risque. Les frontières du groupe ne sont pas contrôlées ; les gens entrent et sortent, ou prennent de la distance sans jamais vraiment reconnaître qu'ils ont quitté le groupe. C'est pour cette raison que le libéralisme est hanté par le problème des resquilleurs (*free-rider*), ces gens qui continuent de profiter des avantages de l'adhésion et de l'identité tout en ne participant plus aux activités qui produisent ces avantages[15]. La société communautarienne, par contre, est le rêve d'un monde parfaitement débarrassé des resquilleurs.

Dans le meilleur des cas, la société libérale est l'union sociale des unions sociales décrite par John Rawls : un pluralisme de groupes cimentés par le partage des idées de tolérance et de démocratie[16]. Mais si tout groupe est précaire, constamment à deux doigts de la dissolution ou de l'abandon, alors, certainement, l'union plus large doit également être faible et vulnérable. Ou alors, alternativement, ses chefs et ses représentants vont être poussés à compenser ailleurs les défauts de l'association en renforçant leur propre union, c'est-à-dire l'État central, au-delà des limites permises par le libéralisme. Ces limites s'expriment le mieux en termes de droits individuels et de libertés civiles, mais elles comprennent aussi une prescription concernant la neutralité de l'État. Les individus recherchent la vie bonne, les groupes l'encouragent ; l'État préside à cette recherche et à cet encouragement, mais ne participe ni à l'une ni à l'autre. Présider est de caractère singulier, la recherche et l'encouragement sont pluriels. De là l'importance,

15. Je décris comment fonctionne le resquillage dans des groupes ethniques dans M. Walzer, "Pluralism: A Political Perspective", in *Harvard enclyclopaedia of American Ethnic Groups* (ed. Stephan Thernstrom), Cambridge (Mass.), Harvard University Press, 1980, p. 781-787.

16. *Cf.* J. Rawls, *A Theory of Justice*, Oxford, Oxford University Press, 1972, p. 527 *sq.* (*Théorie de la justice*, trad. française par C. Audard, Paris, Seuil, 1987).

pour la théorie et la pratique libérales, de se demander si les passions et les énergies déployées par les gens du commun pour former des associations sont susceptibles, à long terme, de survivre aux *quatre mobilités* et d'être suffisantes pour répondre aux exigences du pluralisme. Il existe au moins quelques indices qui montrent qu'elles ne suffiront pas – du moins sans un petit coup de pouce. Mais posons à nouveau une vieille question : d'où nous vient le secours ? Un certain nombre d'unions sociales existantes vivent dans l'espoir d'une aide divine. Quant au reste, nous ne pouvons que nous aider les uns les autres, et l'intermédiaire qui nous fait parvenir le plus rapidement possible une telle aide est l'État. Mais quel est le type d'État qui encourage des activités associatives ? Quel est le genre d'union sociale qui inclut sans l'incorporer une grande variété discordante d'unions sociales ?

Clairement, il s'agit d'un État libéral, d'une union sociale libérale ; tout autre type serait trop dangereux, à la fois pour les communautés et pour les individus. Ce serait entrer dans une ligne argumentative étrange que de réclamer, au nom du communautarisme, un État alternatif, puisque cela reviendrait à s'inscrire en faux contre nos propres traditions politiques et à répudier ce dont nous disposons déjà en matière de communauté. Mais la correction communautarienne exige en effet un État libéral d'un type particulier, inhabituel conceptuellement, mais pas historiquement : un État délibérément non neutre, tout au moins pour une certaine partie de son domaine de souveraineté. L'argument libéral type en faveur de la neutralité vient de la fragmentation sociale. Étant donné que des individus dissociés ne peuvent jamais se mettre d'accord sur ce qu'est une vie bonne, l'État doit leur permettre de vivre d'une manière qui leur semble la meilleure, avec comme seule limitation le principe de nocivité de John Stuart Mill, sans avaliser ou encourager une interprétation particulière de ce que signifie « meilleure ». Mais ceci soulève un problème : plus les individus sont dissociés, plus l'État risque d'être un État fort, car il représente alors la seule, et la plus importante, des unions sociales. L'appartenance à l'État, qui serait alors l'unique bien partagé par tous les individus, pourrait sembler être le bien le « meilleur ».

Ceci revient à répéter la première critique communautarienne et appelle le même type de réponse que la seconde critique, à savoir que l'État n'est pas, en fait, l'unique, ni même, pour les gens ordinaires dans leur vie de tous les jours, la plus importante des unions sociales. Maints autres groupes continuent d'exister, qui façonnent les vies de leurs membres et leur donnent un but, et ce, en dépit du triomphe des droits individuels, des *quatre mobilités* symptomatiques de ce triomphe, et malgré le fait que ce triomphe permette l'existence de resquilleurs. Mais ces groupes sont constamment menacés. Et ainsi l'État, pour rester un État libéral, doit avaliser et encourager certains de ces groupes, en fait ceux qui semblent les plus susceptibles d'apporter une forme et des buts en accord avec les valeurs communes d'une société libérale[17]. Sans aucun doute, ceci ne va pas sans problème non plus, et mon intention n'est pas de nier leurs difficultés. Mais je ne pense pas que l'on puisse éviter une telle formulation – et ce, pour des raisons autres que théoriques. L'histoire des meilleurs États libéraux, tout comme celle des meilleurs États sociaux-démocrates (qui de plus en plus tendent à se confondre), suggère qu'ils se comportent exactement de cette façon, bien que souvent de manière inadéquate.

Je donnerai ici trois exemples relativement bien connus d'un tel comportement de la part de l'État. Tout d'abord, le *Wagner Act* des années trente. Il ne s'agissait pas là d'une loi

17. Voir l'argument en faveur d'un « perfectionnisme » (plutôt que d'une neutralité) modeste dans J. Raz, *The Morality of Freedom*, Oxford, Clarendon Press, 1986, chap. 5 et 6.

libérale type, levant seulement les obstacles à l'organisation des syndicats, car elle encourageait activement l'organisation de syndicats, et elle le faisait précisément en résolvant le problème des resquilleurs. En exigeant des négociations collectives chaque fois qu'il y avait soutien de la majorité (mais pas nécessairement appui unanime) en faveur du syndicat, et en permettant ensuite la syndicalisation obligatoire, le *Wagner Act* encouragea la création de syndicats forts, capables, du moins jusqu'à un certain point, de décider de la configuration des rapports au sein de l'industrie[18]. Bien entendu, sans solidarité au sein de la classe ouvrière, il ne pouvait y avoir de syndicat fort ; toute syndicalisation repose sur une communauté sous-jacente de sentiments et de croyances. Mais au moment où passa le *Wagner Act*, ces communautés sous-jacentes étaient déjà minces par les *quatre mobilités*. Cet acte contribua à contrecarrer les tendances dissociatives de la société libérale. Ce n'en était pas moins une loi libérale, car les syndicats qu'elle contribua à créer amélioraient la vie de chaque ouvrier ; à défaut de réaliser cet objectif, les syndicats, en accord avec les principes libéraux, se voyaient exposés à la dissolution et à l'abandon.

Le deuxième exemple est celui de l'utilisation de l'exemption d'impôts et d'allocations équivalentes aux impôts pour permettre à divers groupes religieux d'organiser d'importants systèmes de crèches, de maisons de retraite, d'hôpitaux, etc. – des sociétés d'assistance sociale à l'intérieur même de l'État-providence. Je ne prétends pas que ces sociétés privées et pluralistes compensent la mauvaise qualité de l'État-providence américain. Mais elles améliorent la qualité des services sociaux en les rendant plus directement fonction de la solidarité au sein des communautés. Au-delà de l'établissement d'un minimum de normes, le rôle de l'État est un rôle de modération,

18. *Cf.* I. Bernstein, *Turbulent Years: A History of the American Worker, 1933-1941*, Boston, Houghton Mifflin, 1970, chap. 7.

puisque dans ce cas-ci il ne peut résoudre entièrement le problème des resquilleurs. Même si un certain nombre d'hommes et de femmes se retrouvent dans une maison de retraite catholique, bien que n'ayant jamais contribué aux œuvres de bienfaisance catholiques, ils auront du moins payé leurs impôts. Mais alors pourquoi ne pas entièrement nationaliser le système de l'État-providence, mettant ainsi fin aux resquilleurs ? Ce que répondent les libéraux, c'est que l'union sociale des unions sociales doit toujours fonctionner sur deux niveaux : un État-providence entièrement géré par des associations privées à but non lucratif deviendrait dangereusement mal adapté et injuste dans la distribution de l'aide ; un système entièrement nationalisé, lui, empêcherait que s'expriment les solidarités locales et particularistes[19].

Le troisième exemple est le passage de lois se rapportant à la fermeture d'usines et conçues dans le but d'apporter quelque protection aux communautés locales de travail et de quartier. Les habitants sont à l'abri, bien que pour un temps limité seulement, des pressions du marché qui les invitent à quitter leurs anciens quartiers et à aller chercher du travail ailleurs. Bien que le marché « nécessite » une force de travail extrêmement mobile, l'État prend en compte d'autres besoins, non seulement en tant qu'État-providence (par le biais d'allocations de chômage et de programmes de recyclage professionnel), mais aussi en un sens communautaire. Mais l'État n'est pas également enclin à préserver chaque communauté de quartier. Il est totalement neutre par rapport aux communautés ethniques ou résidentielles et n'offre aucune protection contre les étrangers qui veulent s'y installer. La mobilité géographique reste ici une valeur positive, l'un des droits du citoyen.

---

19. *Cf.* M. Walzer, "Socializing the Welfare State", *in* A. Gutmann (ed.), *Democracy and the Welfare State*, Princeton (NJ), Princeton University Press, 1988, p. 13-26.

Les syndicats, les organisations religieuses et les quartiers exploitent des sentiments et des croyances qui, en principe mais pas toujours historiquement, précèdent l'émergence de l'État libéral. Je ne pourrais dire quelle est la force de ces sentiments et de ces croyances, ni leur chance de survie. Les syndicats sont-ils parvenus à établir une emprise suffisamment grande sur l'esprit de leurs membres pour contribuer à de bonnes histoires ? Il existe quelques bonnes histoires, que l'on raconte, puis reraconte, et que parfois même on reproduit. Mais la trame de ces histoires ne semble pas être suffisamment convaincante pour que les jeunes travailleurs y trouvent de quoi nourrir quelque chose qui ressemblerait à la solidarité de l'ancienne classe ouvrière. Il ne suffit pas non plus qu'une organisation religieuse propose des services qui marquent les grands événements de la vie de ses membres, si ceux-ci ne s'intéressent plus aux services religieux. Quant aux quartiers, ils ne résisteront pas eux non plus très longtemps à la pression du marché. Néanmoins, le sentiment et les croyances communautaires semblent être bien plus stables que nous ne pensions qu'elles le deviendraient, et la multiplication, dans la société libérale, d'associations secondaires est remarquable, même si beaucoup d'entre elles survivent peu longtemps et ont des membres souvent transitoires. Contrairement à ce qu'affirment les critiques communautariens, on a le sentiment que les gens travaillent et essayent de faire face ensemble, et non seuls, isolés, chacun de leur côté.

Un bon État libéral (ou social-démocrate) multiplie les possibilités de faire face de façon coopérative. Dans *The Public and Its Problem,* publié en 1927, John Dewey donne une description très utile d'un État de ce type. Il commente une série antérieure de critiques communautariennes, auxquelles il adhère partiellement. Comme les critiques de son époque, qui se disaient « pluralistes », Dewey ressentait un malaise vis-à-vis de l'État souverain, mais son malaise était moins prononcé que le leur. Comme eux aussi, il éprouvait de l'admiration pour ce qu'il appelait « les groupes primaires » à l'intérieur de l'État, mais il était plus enclin que les pluralistes à tempérer son admiration. Les groupes primaires, écrivit-il, sont « bons, mauvais, ou quelconques », et ils ne peuvent, de par leur simple existence, fixer les limites de l'activité de l'État. L'État n'est pas « seulement un arbitre empêchant et remédiant aux transgressions d'un groupe vis-à-vis d'un autre ». Il a une fonction plus générale :

> Il rend les associations désirables plus solides et plus cohérentes [...] Il entrave les groupes nocifs et rend leur survie précaire [...] [et] donne à chaque membre des associations valorisées une liberté et une sécurité plus grandes ; il les libère de conditions gênantes [...] Il permet à chaque membre de savoir avec une certitude raisonnable ce que les autres vont faire[20].

Cela pourrait sembler être des tâches trop étendues pour un État *libéral,* mais elles sont limitées par l'établissement constitutionnel des droits individuels qui sont eux-mêmes (selon une lecture pragmatique) non tant une reconnaissance de ce que sont ou de ce qu'ont les individus de façon innée, que l'expression de ce qu'on espère qu'ils seront et feront. Ce n'est que si les individus agissent ensemble d'une certaine façon que peut s'initier une action de l'État du type de celle préconisée par Dewey. Lorsqu'on reconnaît « aux citoyens le droit de s'associer de façon pacifique », par exemple, ce que l'on désire, ce sont des assemblées de citoyens. Si l'on discrimine alors entre de telles assemblées, on le fait sur des bases limitées, encourageant ainsi uniquement celles qui sont l'expression réelle d'une communauté de sentiments et de croyances et qui ne violent pas les principes libéraux d'association.

---

20. J. Dewey, *The Public and its Problems,* Chicago, Swallow Press, 1985, p. 71-72.

On affirme souvent aujourd'hui que l'État non neutre, dont j'ai tenté de justifier les activités, se comprend le mieux en termes républicains. La politique communautarienne contemporaine se nourrit en grande partie de la renaissance d'un républicanisme néoclassique. Cette renaissance, je tiens à le dire, est essentiellement académique ; contrairement à d'autres versions du communautarisme développées à l'époque de Dewey et actuellement, elle n'a aucune référence extérieure. Il existe réellement des syndicats, des Églises et des quartiers dans la société américaine, mais il n'existe pratiquement aucun exemple d'association républicaine ni de mouvement ou de partis qui se donnent pour but de promouvoir de telles associations. Dewey ne reconnaîtrait probablement pas son « public », ni Rawls son « union sociale », comme des versions du républicanisme, ne fût-ce que parce que dans ces deux cas l'énergie et l'engagement ont quitté une association singulière et étroitement politique au profit des associations plus variées de la société civile. Le républicanisme, en revanche, constitue une doctrine intégrée et unitaire qui concentre les énergies et les engagements sur le politique avant tout. C'est une doctrine adaptée (à la fois sous sa forme classique et néoclassique) aux besoins de petites communautés homogènes, dans lesquelles la société civile est radicalement indifférenciée. On peut peut-être étendre la doctrine pour rendre compte d'une « république des républiques », une révision décentralisée et participative de la démocratie libérale. Ceci exigerait alors que les gouvernements locaux soient considérablement renforcés, afin d'encourager l'accroissement et l'expression de la vertu civique dans une variété pluraliste d'environnements sociaux. Cela correspond à une recherche des indices de communauté *à l'intérieur* du libéralisme, car cela a plus à voir avec Stuart Mill qu'avec Rousseau. Nous devons maintenant imaginer que l'État non neutre donnera du pouvoir aux grandes et petites villes, et aux municipalités ; qu'il encouragera les comités de quartier et les conseils de médiation ; et qu'il recherchera constamment des groupes de citoyens prêts à endosser la responsabilité des affaires locales[21].

Rien de tout cela ne garantit contre l'érosion des communautés sous-jacentes ou contre la mort des loyalismes locaux. Le fait que les communautés soient toujours menacées est une question de principe. Et le grand paradoxe, pour une société libérale, est que l'on ne puisse s'opposer à ce principe sans s'opposer aussi aux pratiques traditionnelles et aux compréhensions partagées de cette société. Dans ce cas-ci, le respect de la tradition exige la fragilité du traditionalisme. Si la première critique communautarienne était entièrement juste, s'il n'y avait ni communautés ni traditions, l'on pourrait alors simplement se mettre à en inventer de nouvelles. Dans la mesure où la seconde critique est vraie, fût-ce partiellement, et où le travail de l'invention communautaire a commencé et continue de progresser, nous devons nous contenter de corrections et d'améliorations (elles seraient en fait plus radicales que ne le suggèrent ces termes) telles que les décrit Dewey.

*

Jusqu'à présent, je n'ai pas abordé ce qui est souvent considéré comme la question centrale qui divise les libéraux et leurs critiques communautariens, à savoir la constitution du

21. Il est aussi probable que ce type de républicanisme pluraliste contribuera à faire avancer les perspectives de ce que j'ai appelé « l'égalité complexe » dans *Spheres of Justice* (Oxford, Martin Robertson, 1983). Je ne peux ici poursuivre ce débat, mais il est utile de remarquer que tant le libéralisme que le communautarisme peuvent adopter des formes égalitaires et des formes non ou anti-égalitaires. De la même façon, la correction communautarienne du libéralisme peut renforcer les anciennes inégalités des modes de vie traditionnels ou neutraliser les nouvelles inégalités du marché libéral et de l'État bureaucratique. Il est probable, quoique loin d'être certain, que la « république des républiques » ait des effets sur le second type.

soi[22]. On affirme généralement que le libéralisme repose sur l'idée d'un soi présocial, un individu solitaire et parfois héroïque qui affronte la société, qui est entièrement formé dès avant cette confrontation. Les critiques communautariens maintiennent, premièrement, que l'instabilité et la dissociation sont les véritables produits décourageants d'individus de ce genre, et, deuxièmement, qu'il ne peut réellement exister de tels individus. Mais ces critiques sont souvent accusés de croire en un soi radicalement socialisé qui, étant depuis toujours impliqué dans la société (elle-même incarnation des valeurs sociales), ne pourrait jamais « affronter » celle-ci. Cette différence d'opinion semble relativement marquée, mais dans les faits, en pratique, elle ne l'est pas du tout. Car aucune de ces vues ne pourrait être soutenue longtemps par quelqu'un qui irait au-delà d'une simple prises de position et essayerait de développer une argumentation[23]. D'ailleurs, ni la théorie libérale ni la théorie communautarienne ne nécessitent pareilles prise de position. Les libéraux d'aujourd'hui ne croient pas en un soi présocial, mais en un soi capable de réfléchir de façon critique aux valeurs qui ont gouverné sa socialisation ; quant aux critiques communautariens, qui justement adoptent une telle démarche, ils ne peuvent guère continuer de dire que tout est question de socialisation. Dans ce contexte, les questions philosophiques et psychologiques ont une grande portée, mais en ce qui concerne la politique, il n'y a pas grand-chose à gagner sur ce terrain-là ; les concessions des opposants sont trop facilement comptées comme des victoires.

En théorie politique, la question centrale n'est pas d'étudier la constitution du soi, mais bien de découvrir les liens

---

22. La question est clairement posée dans M. Sandel, *Liberalism and the Limits of Justice*, *op. cit.* Beaucoup de discussions récentes commentent ou analysent le livre de Sandel.

23. *Cf.* W. Kymlicka, "Liberalism and Communautarianism", *Canadian Journal of Philosophy*, 1988, 18, p. 181-204.

entre sujets constitués, la structure des relations sociales. La meilleure façon de comprendre le libéralisme est de le voir comme une théorie des liens entre personnes, qui a pour centre l'association volontaire et qui interprète « volontaire » comme étant le droit de rompre ou de se retirer. Ce qui rend un mariage volontaire, c'est la possibilité permanente de divorcer. Ce qui rend toute identité ou affiliation volontaire, c'est l'accès aisé à des identités et des affiliations alternatives. Mais plus cet accès est aisé, plus nos relations risquent de devenir instables. Les *quatre mobilités* font sentir leur emprise et la société semble être en perpétuel mouvement, si bien que l'on pourrait dire que le véritable sujet de la pratique libérale, ce n'est pas le soi présocial mais le soi postsocial, enfin libéré de tout ce qui n'est pas alliance temporaire et limitée. Or, le soi libéral reflète la fragmentation de la société libérale : il est radicalement sous-déterminé et divisé, contraint à se réinventer à chaque nouvelle occasion publique. Certains libéraux se réjouissent de cette liberté et de cette auto-invention ; les communautariens, tout en soutenant que ce n'est pas là une condition humaine tenable, regrettent son apparition.

J'ai soutenu que, dans la mesure où le libéralisme tend vers l'instabilité et la dissociation, il a régulièrement besoin de corrections communautariennes. L'« union sociale des unions sociales » de Rawls reflète et intègre de telles corrections antérieures à lui et présentes dans les travaux d'auteurs américains tels que Dewey, Randolph Bourne, et Horace Kallen. Rawls nous a donné une version généralisée de l'argument de Kallen qui soutient que, depuis la grande immigration, l'Amérique a été et devrait rester une « nation de nationalités[24] ». Mais en vérité, l'érosion des nationalités semble être un trait qui caractérise la vie sociale libérale, et ce malgré d'intermit-

24. H. Kallen, *Culture and Democracy in the United States,* New York, Boni et Liveright, 1924.

tents renouveaux ethniques, comme ceux de la fin des années soixante et soixante-dix. Partant de là, on peut généraliser et prévoir l'affaiblissement plus ou moins constant de tous les liens sous-jacents qui rendent possible l'union sociale. Il n'existe aucun remède puissant ou définitif à cet affaiblissement du communautaire, si ce n'est une réduction antilibérale des *quatre mobilités* et des droits de rupture et de divorce sur lesquels celles-ci reposent : les communautariens rêvent parfois d'une telle réduction, mais ils la préconisent rarement. Après tout, la seule communauté que la plupart d'entre eux connaissent vraiment est justement cette union des unions, toujours précaire et toujours menacée. Ils ne peuvent triompher de ce libéralisme ; ce qu'ils peuvent parfois faire, c'est renforcer ses capacités associatives internes. Le renforcement n'est que temporaire, parce que les capacités de dissociation, hautement valorisées, sont profondément internalisées. C'est la raison pour laquelle la critique communautarienne est condamnée – ce qui n'est sans doute pas un destin si terrible – à un éternel retour.

Les deux universalismes

On a beaucoup écrit ces dernières années sur l'absolutisme moral et le relativisme moral, le monisme et le pluralisme, l'universalisme et le particularisme – tous les -ismes fervents – et pourtant notre compréhension de ces couples d'oppositions simples ne semble pas progresser. Les défenseurs des lumières libérales s'opposent aux tenants de la tradition commune, ceux qui aspirent à un accès à l'universel s'opposent à ceux qui recherchent l'enracinement. Nous connaissons tous les positions de nos adversaires. Dans chaque discussion nous anticipons les manœuvres d'approche, nous gardons en réserve la réponse adéquate, aucun ornement rhétorique ne parvient à nous surprendre au moment des conclusions. Chaque position est plus ou moins bien défendue, il arrive qu'on l'emporte au cours d'une discussion, un peu comme on gagne une partie d'échecs, par habileté ou présence d'esprit face à une erreur de l'adversaire. Mais les victoires de ce genre n'ont aucun écho. C'est pourquoi j'ai tenté d'échapper aux oppositions convenues ou, du moins, de les décrire en termes moins polémiques. Je voudrais prendre la parole en me plaçant à l'intérieur de ce que j'ai considéré, avec d'autres, comme le camp adverse. Je voudrais prendre position parmi les universalistes et suggérer qu'il existe un autre universalisme, d'une variété non reconnue, qui circonscrit et peut-être même aide à comprendre l'appel au particularisme moral.

*

Je commencerai ma discussion par l'exemple historique du judaïsme qui a souvent été considéré, non sans raison, comme une religion tribale, comme l'exemple même du bonheur particulariste. Pourtant le judaïsme est une des sources principales des deux universalismes, le premier ayant trouvé sa formulation quand il fut adopté par le christianisme. Il aurait probablement été adopté même si le judaïsme avait, à la place du christianisme, triomphé dans le Vieux Monde – non seulement à cause de sa force parmi les Juifs mais aussi en raison d'un lien, qui deviendra plus net au cours de mon développement, qui existe entre le premier universalisme et l'idée ou l'expérience du triomphe.

Le premier universalisme considère qu'il n'y a qu'un seul Dieu, donc une seule loi, une seule justice, une seule conception exacte de la vie bonne ou de la société bonne ou du bon régime, un salut, un messie, un *millenium* pour toute l'humanité. Je l'appellerai la version de la « loi surplombante » de l'universalisme, même si dans la doctrine chrétienne, ce n'est pas tant la loi que le sacrifice du fils de Dieu qui « surplombe » les hommes et les femmes partout, si bien que l'assertion « le Christ est mort pour vos péchés » peut être adressée à n'importe qui, n'importe quand et n'importe où, et sera toujours vraie, le pronom ayant un référent indéfini et une extension infinie. Le Christ est mort pour tous les pécheurs, quels qu'ils soient et quel que soit leur nombre. Mais je voudrais me référer ici à la « loi juive » (et aux disputes juridiques concernant la loi naturelle qui en découlent) qui cherche à définir ce que peut être une vie sans péché, bonne ou, du moins, droite.

L'universalisme de surplomb a été appelé la doctrine « alternative » du judaïsme, mais dans les temps prophétiques, c'était une alternative reconnue et bien établie et peut-être même la doctrine dominante, au moins dans les textes des Juifs[1]. Le tribalisme juif était alors réinterprété et reconstruit de façon à en faire un instrument au service d'une fin universelle. Les Juifs étaient élus pour un but qui avait à voir, non seulement avec leur propre histoire, mais aussi avec celle du genre humain. C'est la signification de la description par Isaïe d'Israël comme « lumière des nations[2] ». Une lumière pour toutes les nations, qui seront en définitive uniformément éclairées : mais la lumière étant faible et les nations récalcitrantes, cela peut prendre longtemps. Cela peut prendre un temps infini.

La fin peut être décrite en termes militants et triomphants comme la victoire de la tribu universalisante ; elle peut aussi être décrite plus modestement comme l'avènement et l'assomption des nations.

> Des peuples nombreux se mettront en marche et diront : « Venez, montons à la montagne du Seigneur[3]. »

Quelle que soit sa forme, le résultat est un même triomphe de la singularité religieuse et morale – beaucoup de peuples graviront la montagne. L'espoir d'un triomphe de ce genre est entré dans les prières quotidiennes :

> En ce jour le Seigneur sera unique et son nom sera unique[4].

Jusqu'à ce jour, le premier universalisme peut revêtir l'aspect d'une mission, comme il l'a souvent fait dans l'histoire du chris-

1. Paul D. Hanson, *The People Called: The Growth of Community in the Bible*, San Francisco, Harper and Row, 1986, p. 312-324.
2. Isaïe, 49.6, *cf.* 42.6.
3. Isaïe, 2.3.
4. *Daily Prayer Book: Ha-Siddur Ha-Shalem*, traduit par Philip Birnbaum, New York, Hebrew Publishing Compagny Co., 1977, p. 138. Sur cette question, voir George Foot Moore, *Judaism in the First Centuries of the Christian Era: The Age of the Tannaim*, Cambridge, Harvard University Press, 1962, p. 228-231, 371-374.

tianisme et, plus tard, dans l'impérialisme des nations qui se sont appelées chrétiennes. Nous nous souvenons tous de ces lignes de *la Chanson des Anglais* de Kipling :

> Et respectez la Loi, – sans délai, sans nul doute
> Chassez le mal, pontez le gué, percez la route.
> A chacun, donnez sa rançon
> Au lieu qu'il sema sa moisson ;
> Et notre paix dira le Dieu que l'on écoute[5].

En définitive, toutes les nations soumises, une fois les routes et les ponts construits et la paix garantie, apprendront à servir Dieu par eux-mêmes ; c'est pourquoi aujourd'hui « nous » devons les commander. L'expérience des nations qui ne gardent pas la loi est radicalement dévaluée. C'est un schéma commun aux universalismes de surplomb. Les serviteurs de Dieu se tiennent au centre de l'histoire et forment le courant central, tandis que les histoires des autres sont autant de chroniques de l'ignorance et de conflits dépourvus de sens. En un sens, ils n'ont pas d'histoire – comme dans la conception hégéliano-marxiste – puisque rien de significatif dans l'histoire du monde ne leur est arrivé. Rien de significatif au regard de l'histoire du monde ne leur arrivera jamais sauf dans la mesure où ils s'approchent et se mêlent au courant dominant. La version chrétienne de cette conception, qui a inspiré de nombreuses actions colonisatrices, est bien connue, ainsi que ses équivalents séculiers. Mais il en existe une version juive également, selon laquelle l'exil et la dispersion des Juifs, bien que ce soit en un sens une punition de leurs péchés, furent en un autre sens significatifs dans le projet de Dieu pour l'histoire du monde. Ils ont servi à donner à la vraie foi monothéiste des adeptes localement et partout dans le monde – c'est une

5. Rudyard Kipling, *A Song of the English* (« La chanson des Anglais »), poèmes choisis par T. S. Eliot, traduits de l'anglais par Jules Castier, Paris, Robert Laffont, collection « Amalthée », 1949.

lumière éparpillée qui reste lumière[6]. L'exil est dur pour les individus en particulier mais bon en général. Le monothéisme, dans cette perspective, est le fardeau des Juifs, plus encore que la civilisation n'est le fardeau des Anglais pour Kipling et le communisme celui du prolétariat pour Marx.

Puisque, à tout moment, certains peuples connaissent la loi et d'autres non, certaines personnes la respectent et d'autres non, le premier universalisme provoque l'orgueil de ceux qui connaissent et qui respectent la loi – ceux qui sont choisis, élus, les vrais croyants, l'avant-garde. Bien entendu, le refus de l'orgueil est une loi surplombante courante et, comme je l'ai déjà suggéré, le triomphe de Dieu peut survenir d'une façon qui ne poussera pas ses serviteurs au triomphalisme. Pourtant, la règle générale est que ces hommes et ces femmes vivent dès aujourd'hui selon des principes que tout homme et toute femme imitera un jour. Ils possèdent dès maintenant un corps de doctrine et un code de lois qui un jour seront universellement acceptés. Quel est l'état d'esprit et les sentiments de ces personnes ? Sinon l'orgueil, au moins certainement la confiance : nous pouvons reconnaître l'universalisme de surplomb par la confiance qu'il inspire.

Le deuxième universalisme est la véritable doctrine alternative de l'histoire juive ; nous devons la reconstituer à partir de sa présence fragmentaire dans la Bible. A partir du moment où le judaïsme est entré dans un conflit de grande envergure avec le christianisme, il est réprimé. Il réapparaît sous une forme laïcisée dans le romantisme des XVIIIe et XIXe siècles. Le fragment le plus important se trouve dans le livre prophétique d'Amos où Dieu demande :

---

6. Judah Halevi, *The Kuzari: An Argument for the Faith of Israël,* traduit par Hartwig Hirschfeld, New York, Schocken Books, 1964, p. 226-227 ; Samson Raphael Hirsch, *Horeb: A Philosophy of Jewish Laws and Observances,* trad. I. Grunfeld, Londres, Soncino Press, 1962, p. 143-144.

> Enfants d'Israël, vous êtes à moi, mais les enfants des Éthiopiens ne m'appartiennent-ils pas aussi ? J'ai tiré Israël de l'Égypte. Mais n'ai-je pas tiré aussi les Philistins de la Cappadoce et les Syriens de Cyrène[7] ?

Ces questions suggèrent qu'il n'y a pas qu'un seul exode, une seule rédemption divine, un seul moment de libération pour toute l'humanité, de la même façon qu'il n'y a, selon la doctrine chrétienne, pas qu'un seul sacrifice de rachat. La libération est une expérience particulière, qui se répète pour chaque peuple opprimé. En même temps, c'est à chaque fois une expérience positive, car Dieu est pour chacun le libérateur. Chaque peuple reçoit sa *propre* libération des mains d'un Dieu unique, le même pour tous, qui, probablement, considère que l'oppression est universellement haïssable. Je propose d'appeler cette position l'universalisme réitératif. Ce qui le rend différent de l'universalisme de surplomb est son attention au particularisme et au pluralisme. Nous n'avons aucune raison de penser que l'exode des Philistins et des Syriens est identique à celui d'Israël, ou qu'il s'achève en une même alliance, ou même que les lois des trois peuples sont ou doivent être les mêmes.

Il y a deux façons différentes d'expliquer un événement historique comme l'exode d'Israël hors d'Égypte. On peut en faire un pivot de l'histoire universelle, comme si toute l'humanité, bien qu'absente de la mer ou de la montagne, y avait du moins été représentée. Alors l'expérience de libération d'Israël appartient à chacun. On peut aussi en faire un événement exemplaire, pivot d'une histoire particulière seulement, qu'un autre peuple peut répéter – et *doit* répéter s'il veut s'approprier cette expérience – d'une façon qui lui soit propre. L'exode hors d'Égypte libère Israël seulement, mais d'autres libérations sont possibles. Dans cette deuxième lecture, il n'y a pas d'histoire universelle, mais plutôt une série d'histoires (qui sans doute

7. Amos, 9.7.

ne convergent pas ou convergent seulement en un mythique point ultime de l'histoire – comme les multiples expériences nationales convergeaient vers le communisme) qui ont chacune de la valeur. Je suppose qu'Amos n'aurait pas écrit une « valeur équivalente », je ne veux pas non plus affirmer qu'une équivalence de ce genre découle de l'idée de réitération. Néanmoins, le but des questions d'Amos est de reprocher son orgueil à Israël. Il n'est pas le seul peuple élu ni le seul peuple libéré ; le Dieu d'Israël assiste les autres nations aussi. Isaïe défend la même idée, sans doute dans le même but, d'une façon encore plus dramatique :

> Car [les Égyptiens] crieront vers le Seigneur à cause de ceux qui les oppriment, il leur enverra un sauveur qui les défendra et les délivrera. Le Seigneur se fera connaître des Égyptiens et les Égyptiens, ce jour-là, connaîtront le Seigneur. [...] Ce jour-là Israël viendra le troisième, avec l'Égypte et l'Assyrie. Telle sera la bénédiction que, dans le pays, prononcera le Seigneur, le tout-puissant : « Bénis soient l'Égypte, mon peuple, l'Assyrie, œuvre de mes mains, et Israël, mon héritage[8]. »

Au lieu de « plusieurs peuples, une seule montagne », nous voyons ici « un seul Dieu, plusieurs bienfaits ». Et de même que les bienfaits sont distincts, de même les histoires des trois nations ne convergent pas vers une seule histoire.

L'universalisme de la réitération peut toujours prendre la forme d'une loi surplombante. Nous pouvons affirmer, par exemple, que l'oppression a toujours tort ou que nous devons répondre moralement et politiquement au cri de chaque peuple opprimé (comme Dieu le fait lui-même, dit-on) ou que nous devons accorder de la valeur à chaque libération. Mais ce sont des lois surplombantes d'un type particulier : premièrement, c'est l'expérience qui nous les enseigne, par l'intermédiaire d'une confrontation historique avec l'autre – Israël, les Philistins, les Syriens ; deuxièmement en raison de cette forme d'ap-

8. Isaïe, 19.20-25.

prentissage, elles nous imposent le respect pour le particulier, pour les différentes expériences d'esclavage et de souffrance faites par d'autres peuples dont la libération prend d'autres formes ; enfin, parce qu'elles sont définies par la différence, elles sont moins susceptibles de nous inspirer la confiance en ceux qui connaissent ces lois. Il est bien entendu toujours possible que les lois surplombantes de cette sorte produisent des conséquences mentales et morales qui contredisent leur intention : nous pouvons, par exemple, être submergés par l'absolue hétérogénéité de la vie humaine et abandonner toute croyance en l'intérêt de notre propre histoire pour qui que ce soit d'autre. Et si notre histoire est dénuée de tout intérêt pour les autres peuples, la leur le sera aussi pour nous. Nous nous replions dans l'intériorité et l'indifférence. Reconnaître les différences conduit à l'indifférence. Même si nous accordons de la valeur à la libération égyptienne, nous n'avons aucune raison de la défendre. C'est l'affaire de Dieu ou des Égyptiens. Nous ne sommes pas concernés, nous n'avons pas de mission dans l'histoire du monde, nous sommes, ne serait-ce que par défaut, des avocats de la non-intervention. Mais pas seulement par défaut, car l'universalisme de réitération dérive en partie d'une certaine conception de ce que signifie avoir une histoire à soi. C'est pourquoi la non-intervention peut se fonder positivement : sur la tolérance et le respect mutuel issus du second universalisme[9].

*

Étant donné le poids de la foi monothéiste, l'universalisme réitératif ne pouvait pas être autre chose qu'une potentialité du judaïsme. Mais un Dieu considéré comme actif dans l'histoire, engagé dans le monde, en fait toujours une potentialité

9. Sur cette question de la tolérance, voir David B. Wong, *Moral Relativity*, Berkeley, University of California Press, 1984, chap. 12.

vivante. Il n'y a pas de raison de confiner un tel Dieu – qui est, du reste, omnipotent et omniprésent – à l'histoire juive ou même à la lecture juive de l'histoire du monde. La force de son bras n'est-elle pas visible partout ? Et n'est-il pas équitable avec toutes les nations ? Voyons quelques expressions de Jérémie (c'est, une fois de plus, Dieu qui parle) :

> Tantôt je décrète de déraciner, de renverser et de ruiner une nation ou un royaume. Mais si cette nation se convertit du mal qui avait provoqué mon décret, je renonce au mal que je pensais lui faire. Tantôt je décrète, sur une nation et sur un royaume, que je vais bâtir et planter : mais cette nation fait-elle ce qui me déplaît en refusant d'écouter ma voix, alors je me repens du bien que j'entendais lui faire[10].

Référence est clairement faite ici à toutes les nations, bien que chacune soit considérée indépendamment des autres, prises chacune à son propre « moment ».

Nous pouvons supposer que Dieu juge toutes les nations selon les mêmes critères, l'expression : « le mal que je réprouve » renvoie toujours au même type de mauvaises actions ; mais ce n'est pas nécessairement le cas. Si Dieu passe une alliance séparément avec chaque nation ou s'il bénit chaque nation de façon différente, alors il ne serait pas impossible de penser qu'il considère chacune d'elles selon ses propres critères. Il existerait un type de mauvaise action pour chaque nation, même si ces différents types se recouvrent en partie. Ou bien, s'il n'existe qu'un seul type de mauvaises actions (que les recouvrements permettent d'identifier : meurtre, trahison, oppression et ainsi de suite), il pourrait encore se trouver que le bien apparaisse de différentes manières – car le bien n'est pas le simple contraire du mal. C'est parce que le bien existe de diverses manières qu'il doit aussi y avoir différentes bénédictions. Dans chacune de ces conceptions, Dieu est lui-même

10. Jérémie, 18.7-10.

un universaliste réitératif, qui gouverne et contraint mais qui ne rejette pas la diversité de l'humanité. On peut néanmoins dire que ce second universalisme fonctionne mieux si l'on se réconcilie avec l'idée selon laquelle la divinité elle-même est diverse et plurielle. On en trouve à peine une allusion dans l'Ancien Testament, même si le prophète Michée s'approche de cette idée dans le passage suivant (dont la première phrase est plus souvent citée que la seconde) :

> Mais chacun restera assis sous sa vigne et sous son figuier, sans personne pour l'inquiéter. Car tous les peuples marchent chacun au nom de son dieu, et nous, nous marchons au nom du Seigneur notre dieu, pour toujours et à jamais[11].

La seconde phrase est en général considérée comme la survivance d'une croyance ancienne selon laquelle chaque peuple a son propre dieu, celui d'Israël n'étant qu'un dieu parmi d'autres. Mais cette explication ne permet pas de rendre compte de cette survivance elle-même. Pourquoi les copistes ont-ils gardé cette deuxième phrase ? Les deux phrases vont bien ensemble : leur construction est parallèle et elles sont liées par la conjonction « car » (en hébreu *ki*), comme si le fait d'« être assis », décrit d'abord, était la conséquence de la « marche » qui apparaît ensuite. C'est peut-être le sens de cet extrait ; c'est certainement un des arguments les plus utilisés en faveur de l'universalisme réitératif – la tolérance qu'il inspire favorise la paix.

Mais peut-être le pluralisme à l'ombre des vignes et des figuiers ne requiert-il pas le pluralisme dans les cieux mais seulement une pluralité des noms divins sur terre :

> car tous les peuples marchent chacun au nom de son dieu[12].

Et cette pluralité ne contredit pas, au moins en théorie, le Dieu unique et omnipotent d'Israël qui a fait l'homme et la femme à son image – c'est-à-dire hommes et femmes créateurs. Car

11. Michée, 4.4-5.
12. Michée, 4.4-5.

Dieu lui-même doit se réconcilier avec leur créativité et leur pluralité[13]. Les artistes ne feront pas tous la même peinture ; les écrivains n'écriront pas tous la même pièce, les philosophes ne donneront pas tous la même explication du bien, les théologiens n'appelleront pas tous Dieu par le même nom. Ce que les hommes ont en commun, c'est seulement cette puissance créatrice, qui n'est pas le pouvoir de faire les mêmes choses de la même façon, mais le pouvoir de faire beaucoup de choses différentes de manière différente. L'omnipotence divine est ainsi reflétée, partagée et particularisée. Voilà une histoire de la création – ce n'est pas, je vous l'accorde, la version dominante – qui fonde la doctrine de l'universalisme réitératif[14].

*

Mais quoi qu'il en soit de la créativité divine, l'idée de réitération permet de mieux comprendre les valeurs et les vertus de la créativité humaine. L'indépendance, l'intériorisation, l'individualisme, l'autodétermination, le gouvernement de soi, la liberté, l'autonomie : toutes ces valeurs sont considérées comme universelles, mais elles ont toutes des implications particularistes. (La situation est la même, bien que le particularisme soit encore plus important dans le romantisme : originalité, authenticité, non-conformisme...) Nous pouvons aisément imaginer une loi surplombante comme « le droit des peuples à disposer d'eux-mêmes ». Mais c'est une loi qui tourne court : elle ne peut pas spécifier ses propres applications effectives. Car

13. Selon les rabbins du Talmud, les différences humaines, sinon la créativité des hommes, est la marque caractéristique de la création divine : « Si un homme fabrique plusieurs pièces dans le même moule, elles se ressembleront toutes, mais le Roi des Rois [...] a fait chaque homme sur le modèle du premier homme et pourtant aucun homme ne ressemble aux autres » (Talmud de Babylone, Sanhedrin 37 a).

14. Je me suis servi, pour l'explication de la signification morale de la création, de David Hartman, *A Living Covenant: The Innovative Spirit in Traditional Judaism*, New York, Free Press, 1985, p. 22-24 et 265-266.

nous n'accordons de valeur à ces applications que dans la mesure où il s'agit d'autodéterminations et les déterminations varient avec la singularité de chaque peuple et de chaque nation. Les actes d'autodéterminations réitérées produisent un monde de différences. De nouvelles lois surplombantes peuvent apparaître, bien sûr, à mesure que les actes sont posés. Mais il est difficile de voir quelle valeur l'autodétermination pourrait avoir si elle était entièrement « surplombée », juridiquement contrôlée en tous points. Quand Moïse (parlant lui aussi à la place de Dieu) dit à Israël :

> C'est la vie et la mort que j'ai mises devant toi [...] tu choisiras la vie pour que tu vives, toi et ta descendance,

nous pouvons admettre que le choix se fait, en un sens, librement, mais la vie que nous choisissons n'est sûrement pas autodéterminée[15]. D'un autre côté, quand nous regardons les Juifs, plus tard, discuter sur l'interprétation des lois de Dieu et créer ainsi un *mode de vie*, alors nous voyons ce qu'on peut, au sens propre, appeler un processus d'autodétermination.

Si l'on choisit de défendre l'autodétermination, alors on doit la défendre même si l'on pense que des choix sans valeur ou erronés sont souvent faits (je peux m'opposer à l'autodétermination dans un cas particulier, toutefois, si ceux qui font ce choix sont sûrs ou virtuellement sûrs de violer des principes moraux particulièrement importants, mais je continuerai à me considérer comme un défenseur de l'autodétermination). Les peuples doivent choisir pour eux-mêmes, chaque peuple pour lui-même. C'est pourquoi nous déterminons nos modes de vie, comme le font ceux-ci, et ceux-là, et ainsi de suite – et chaque détermination se distingue de façon significative des autres déterminations qui l'ont précédée ou qui sont concomitantes. Évidemment, nous pouvons mutuellement critiquer nos actions, nous pouvons pousser les autres à nous imiter, mais à moins

15. Deut., 30.19.

que nos vies et nos libertés (ou celles d'autres hommes et femmes apparemment innocents) ne soient blessées ou menacées, nous ne pouvons pas intervenir par la force dans les choix des autres. Nous ne pouvons pas jouer le rôle de la police, faire respecter la loi, car (sauf atteinte grave) la loi fait sentir ses effets sans qu'il soit nécessaire de la faire respecter. Il n'existe pas de loi ni d'ensemble de lois surplombants qui procurent un schéma directeur suffisamment précis pour toutes nos actions ou toutes celles des autres. Pas davantage les lois acceptées par un peuple ne peuvent « surplomber » d'autres peuples, de telle sorte qu'une imitation effective remplace une procédure de réitération. Il ne peut y avoir de substitution de ce genre si les valeurs et les vertus de l'autonomie sont de vraies valeurs et de vraies vertus.

Le même argument que pour le peuple ou la nation vaut pour l'individu. Si nous valorisons l'autonomie, alors nous voulons que chaque homme et chaque femme vive sa propre vie. Mais si toutes les vies sont entièrement enveloppées dans un seul dispositif de lois surplombantes, l'idée même de « ce qui nous est propre » n'a aucun sens. L'autonomie individuelle peut être et est sans aucun doute contrainte d'un grand nombre de façons mais elle ne peut pas être et n'est pas entièrement contrôlée. Il n'y a pas qu'une seule façon de vivre sa vie en propre. Nous pensons que la vie telle que nous la concevons doit être construite avant d'être vécue, c'est-à-dire que nous pensons la vie individuelle comme un projet, une carrière, une entreprise, quelque chose que nous planifions et que nous réalisons conformément à notre projet. Mais cette conception est uniquement notre compréhension (collective) de l'individualité, elle ne va pas jusqu'à la chose en soi, elle ne se présente pas comme la seule voie légitime et authentique d'être un individu. En fait, il est tout à fait possible d'hériter d'un mode de vie et pourtant de le vivre comme sa vie propre ; et il est également possible de trouver une vie sans aucun plan préétabli. Quelle que soit l'explication de l'autonomie, elle doit faire place non seulement à des autodéterminations diverses mais aussi à différents types de possession de soi.

L'universalisme réitératif n'est pas seulement concerné par les différentes formes d'individualité. Les valeurs et les vertus de l'appartenance se comprennent mieux sur le mode de la réitération. L'amour, la loyauté, la fidélité, l'amitié, le dévouement, l'engagement, le patriotisme : ces valeurs, ensemble ou séparément, peuvent être recommandées, mais l'injonction est nécessairement abstraite ; elle ne gouverne pas l'expérience individuelle. « Aime ton prochain » est une loi surplombante familière ; chaque relation d'amour particulière qu'elle surplombe est, néanmoins, unique. La situation est la même avec l'appartenance à un groupe, y compris la famille, le groupe primordial. Tolstoï avait tort de proclamer que « toutes les familles heureuses se ressemblent[16] ». Même si les familles heureuses sont celles dont les membres sont attachés les uns aux autres, il est certain que les liens qui les unissent varient d'une famille à l'autre, d'un individu à l'autre à l'intérieur de chaque famille et même d'une culture à l'autre, puisque l'idée même de lien familial est comprise de façon différente dans chaque culture. On ne peut préciser comment les amoureux et les membres d'une famille doivent se traiter entre eux que d'une manière très générale – qui, en tout cas, ne donne pas aux relations leur spécificité et leur valeur.

Chaque amoureux doit aimer à sa façon, il doit trouver son *propre* amour, non un amour universel qu'il offre à l'autre. Bien sûr, il existe une idée dans le christianisme selon laquelle le seul amour que nous pouvons donner aux autres est l'amour débordant de Dieu pour nous[17]. Mais je pense que c'est une

---

16. Léon Tolstoï, *Anna Karénine*, 1re partie, chap. 1.
17. Anders Nygren, *Agape and Eros*, trad. Philip Watson, Chicago, University of Chicago Press, 1982.

incompréhension du Dieu chrétien, et ça l'est certainement du Dieu juif, un échec à saisir la signification de son omnipotence que de suggérer que son amour est toujours le même. Nous devons admettre, au contraire, que l'amour divin est différent à chaque fois qu'il se porte sur une personne particulière – sinon ce ne serait pas son amour *pour moi*. Mais même si l'amour divin n'est pas différencié de cette manière, l'amour humain l'est certainement, et il suppose des comportements émotionnels et moraux variés. Les différences sont parfois personnelles, parfois culturelles ; elles sont en tout cas cruciales dans l'expérience de l'amour. Nous connaissons l'amour dans ses différences et nous ne le reconnaîtrions pas comme amour s'il était toujours entièrement conventionnel, soumis à la règle d'une loi surplombante.

Le patriotisme ou l'amour de son pays est vécu aussi dans ses différences : comment nous serait-il possible d'aimer notre pays s'il était identique à tous les autres ? La variété des pays suppose des degrés variés de loyauté. Tels sont les liens grâce auxquels ce qui est « autonome » dans l'expression « autodétermination nationale » se constitue. De même que les déterminations changent selon les identités, de même les identités connaissent-elles diverses formes d'appartenance. Dans la vie politique, les valeurs d'autonomie et de loyauté travaillent ensemble à construire de la diversité – hommes et femmes, dont les liens mutuels s'expriment et sont représentés de manière variée. Si les gens doivent aimer leur pays, écrit Edmund Burke, leur pays doit être aimable[18]. Sans doute ; et peut-être pouvons-nous trouver des critères minimaux d'amabilité que tout le monde acceptera (ou, plus vraisemblablement, certaines formes largement reconnues, parce que largement expérimentées, de méchanceté) mais pour la plus grande part, ce qui est

18. Edmund Burke, *Reflections on the Revolution in France*, Londres, J. M. Dent, Everyman's Library, 1910, p. 75.

aimable est déterminé par le regard de l'observateur. Il n'y a pas d'esthétique universelle pour les nations.

Existe-t-il une éthique universelle ? La justice est certainement la première des valeurs et des vertus qui sont revendiquées au bénéfice de la loi surplombante.

> Mais que le droit coule comme l'eau, dit Amos, et la justice comme un torrent qui ne tarit pas[19].

Dans la géographie de l'éthique, comme on l'entend couramment, il n'y a qu'un seul courant principal, un seul Nil ou un seul Mississippi, qui coule et fertilise l'ensemble du monde. Il n'y a qu'un seul ordre social juste, et toutes les injonctions négatives de la théorie de la droiture – contre le meurtre, la torture, l'oppression, le mensonge, la tricherie, etc. – suscite l'affirmation d'une loi qui nous surplombe : l'absolu « Tu ne dois pas ! » De même, toute exception à ces lois doit être une exception pour chacun, partout, comme dans l'exemple type du meurtre en situation de légitime défense.

La justice semble être, par nature, universelle pour la raison même que l'autonomie et l'appartenance sont réitératifs – car elle provient de la reconnaissance et du respect pour des êtres humains qui créent le monde moral et, par la vertu et la créativité, ont des vies et des patries propres. Leurs créations sont diverses et toujours particulières, mais il existe quelque chose de singulier et d'universel dans leur créativité, le fait brut du pouvoir d'agir, que tous les hommes, comme je l'ai déjà suggéré, manifestent : ils ont été créés à l'image du Dieu créateur. La justice est le tribut que nous avons appris à payer au fait brut et à l'image divine. Les principes et les règles de la justice ont été établis, à travers les siècles, pour protéger les agents et les libérer pour qu'ils s'adonnent à leurs tâches créatrices (réitératives) : un seul ensemble de principes qui vaut pour un ensemble d'agents. Mais le problème est là. Il est certainement

---

19. Amos, 5.24.

possible de fonder la valeur de la justice sur le pouvoir d'agir. Mais si l'on part du respect égal dû aux hommes et aux femmes en tant qu'ils sont également capables d'agir, il n'y aura probablement aucun point d'arrêt indiscutable tant qu'on ne sera pas arrivé à la description définitive et détaillée de ce qu'est une société juste. En considérant cette description élaborée, néanmoins, nous pouvons avoir le sentiment que nous avons trop valorisé le pouvoir d'agir – car plus nous le valorisons, moins il peut en faire. Pourquoi devrions-nous valoriser le pouvoir d'agir humain si nous ne voulons lui donner aucune marge de manœuvre ou d'invention ?

Si nous pensons que la justice est une invention sociale, variable, un produit de la créativité humaine, alors ses réalisations ne paraissent pas très différentes de celle de l'autonomie et de l'appartenance. Quelles raisons avons-nous de vouloir une justice singulière et universelle ? N'est-ce pas comme protéger la pluralité des écrivains tout en les forçant à écrire la même pièce ? Mais tous les auteurs n'ont-ils pas besoin de la même protection, non pas, bien sûr, contre un auditoire hostile ou des comptes rendus négatifs, mais contre la censure et la persécution ? Comment allons-nous tracer la frontière qui sépare les lois surplombantes et la morale réitérative ?

*

Je voudrais maintenant examiner une tentative de tracer cette frontière, celle conduite par un philosophe contemporain, Stuart Hampshire, dans son article « Moralité et convention[20] ». Hampshire propose une argumentation extrêmement utile car il est aussi sensible aux prétentions de modes de vie particuliers ancrés « dans les mémoires locales et les appartenances locales » qu'à celles d'une morale universelle « qui provient

20. Stuart Hampshire, *Morality and Conflict*, Cambridge, Harvard University Press, 1983, chap. 6.

d'une humanité partagée et de normes raisonnables tout à fait générales ». Les premières prétentions sont les plus fortes, estime-t-il, quand elles concernent la part de la morale qui se préoccupe « des interdits et des prescriptions qui gouvernent la morale sexuelle et les relations familiales, ainsi que les devoirs de l'amitié[21] ». « Gouverner » appartient ici au vocabulaire de la particularité : ce sont là des domaines où il nous faut déterminer nous-mêmes nos propres interdits et prescriptions. La seconde série de prétentions trouve place dans l'énoncé des principes du droit et des règles de distribution. « Principes » et « règles » sont des noms dont la référence est globale ; leur contenu est fourni par une raison qui n'appartient à personne en particulier.

Cela permet de distinguer autonomie et appartenance d'une part, et justice d'autre part, d'une manière qui semble tout à fait adéquate à la distinction entre universalisme de la réitération et universalisme de surplomb. Parlant de l'amitié et de la parenté, Hampshire y voit « une licence à l'élection ». En ce qui concerne la distribution, il met en évidence « une exigence de convergence ». Sa « licence » autorise de très nombreuses histoires différentes ; son « exigence » suggère une pression constante (et familière) exercée sur la singularité[22]. Les valeurs et les vertus de l'appartenance et de l'autonomie sont matière de coutumes, de sentiments et d'habitudes ; et il n'y a aucune raison à ce qu'elles soient les mêmes dans des sociétés différentes (aussi sa « licence » est-elle elle-même universelle). Les valeurs et vertus de la justice sont matière d'argumentation rationnelle ; en principe elles devraient être similaires, sinon identiques, partout.

Il n'est toutefois pas facile de trouver un sens pratique à cette distinction. Considérons un instant la question des rela-

---

21. S. Hampshire, *Morality and Conflict, op. cit.*, p. 134-135.
22. *Ibid.*, p. 139.

tions familiales, c'est-à-dire du système de parenté. Dans la plupart des sociétés étudiées par les anthropologues (et encore, dans une certaine mesure, dans la nôtre), les règles de parenté sont aussi les règles de la justice distributive. Elles déterminent qui vit avec qui, qui dort avec qui, qui doit le respect à qui, qui a le pouvoir sur qui, qui attribue des talents à qui, et qui hérite de qui – et, une fois que tout ceci a été énoncé, il ne reste plus beaucoup de place pour l'imposition d'un code rationnel et universel. Là, la licence à l'élection et l'exigence de convergence entrent fortement en conflit, car elles semblent toutes deux régir le même domaine.

Hampshire règle ce conflit en suggérant que la justice propose une sorte de contrainte négative à l'autonomie et à l'appartenance. La rationalité exige, écrit-il,

> que les règles et conventions [dans ce cas, de morale sexuelle] ne produisent pas de malheur évident et évitable, ni qu'elles offensent des principes acceptés d'équité.

C'est là une proposition qui restreint la diversité culturelle dans les limites de la seule raison (ou du sens commun : que veut dire ici « acceptés » ?) et la proposition semblera plus ou moins susceptible de rallier l'assentiment selon les limites proposées. Pour Hampshire, le modèle de la diversité culturelle est la diversité des langues naturelles, avec leurs grammaires et leurs « règles de propriété » radicalement distinctes et également arbitraires, tandis que le modèle des limites rationnelles est « la structure profonde présumée de tout langage[23] ».

Mais cette analogie linguistique est aussi une énigme, car la structure profonde du langage, qui est en effet réitérée dans toutes les langues naturelles, constitue plus qu'elle ne régule les différentes grammaires. Trouverions-nous une langue dont la structure profonde serait autre, il nous faudrait abandonner la présomption d'universalité ; nous n'entreprendrions pas de

23. Stuart Hampshire, *Morality and Conflict*, *op cit.*, p. 136.

« corriger » le langage déviant. Tandis que les lois surplombantes en morale – les « principes acceptés » de justice, par exemple – sont précisément de nature régulatrice ; si Hampshire trouvait une morale qui en fût dépourvue, il serait probablement enclin à la critiquer et à la corriger.

Il est tout à fait possible que nos morales réitérées et nos modes de vie aient une structure profonde analogue. Mais la question la plus importante pour nous est de savoir s'ils ont une substance commune. Y a-t-il en fait un seul ensemble de principes placé quelque part au cœur de toute morale, régulant toutes les expressions d'autonomie et d'appartenance ? Formulée ainsi, la question appelle une réponse négative ; il n'y a qu'à consulter la littérature anthropologique. La réitération produit la différence. Nous trouverons toutefois une pluralité d'ensembles qui se recoupent, chacun d'eux ayant quelque ressemblance avec les autres. Aussi les comprendrons-nous (tous) comme des principes de justice, et nous pourrions bien être conduits, par les interactions entre les individus et les nations, à les interpréter de manière à souligner leurs traits communs. Mais nos interprétations ne peuvent guère faire plus que de suggérer la *communauté différentielle* de la justice, car ces traits communs sont toujours incorporés dans un système culturel particulier et élaborés de manière tout à fait spécifique. Nous faisons abstraction des différences pour construire un code universel, quelque chose comme « la loi naturelle minimale » de H. L. A. Hart[24]. Mais il ne peut jamais y avoir une expression correcte unique du code, pas plus qu'il ne peut y avoir un ensemble unique de lois positives qui livrent la loi naturelle une fois pour toutes. Toute expression est aussi une interprétation, qui emporte, pour ainsi dire, du fret philosophi-

24. H. L. A. Hart, *The Concept of Law*, Oxford, Clarendon Press, 1961, p. 189-195.

que ; et en outre, elle emporte aussi, probablement, le fret culturel de la langue dans laquelle elle est énoncée.

Dans tous les cas, la même recherche de l'élément commun et la même abstraction est possible, dans la mesure où le monde devient plus petit, si on le restreint aux domaines de la sexualité et de la parenté. Si le code abstrait pose des limites aux pratiques sociales, il le fait à travers les multiples expressions de la vie morale et pas seulement au regard de la justice. La possibilité de la différenciation existe elle aussi à travers cette multiplicité : il n'y a pas ici de distinction de domaines, pas d'espace social séparable où un universalisme surplombant pourrait jouer un rôle dominant. Si nous traçons la frontière, il n'y a rien de l'autre côté. Soit la loi surplombante englobe tout – ou, mieux encore, seules les trivialités sont réitérées : chaque peuple a ses propres danses folkloriques – soit tout est réitéré, et (partiellement) différencié dans le procès de réitération, ce qui inclut la justice elle-même.

*

L'universalisme réitératif, toutefois, est encore une forme d'universalisme. J'ai déjà suggéré la manière dont il invoque la loi surplombante : le garant de la réitération est lui-même universel (comme la « licence à l'élection » de Hampshire). Je ne veux pas dire que ce garant préexiste à toute tentative de réitération – quoique ce puisse être le cas si nous supposons qu'il s'agit d'un garant divin – mais seulement que toute prétention à édicter une morale, toute prétention à modeler un mode de vie justifie la prétention qui vient ensuite. Et l'expérience de la réitération permet au moins aux individus de reconnaître la diversité des prétentions. Tout comme nous sommes capables de reconnaître une histoire particulière comme la nôtre et une autre histoire comme celle de quelqu'un d'autre, et toutes deux comme des histoires humaines, nous sommes capables de reconnaître une manière particulière de comprendre l'autonomie et l'appartenance comme étant la nôtre et une autre manière de les comprendre comme étant celle de quelqu'un d'autre, quoique toutes deux conservent à nos yeux une signification morale. Nous pouvons déceler un air de famille et en même temps accorder à chaque membre de la famille un caractère singulier. Cette reconnaissance est additive et inductive, comme je l'ai suggéré plus haut, et elle n'exige ni point de vue extérieur, ni perspective universelle (d'où nous pourrions bondir immédiatement à une loi surplombante). Nous nous tenons où nous sommes et nous apprenons de nos rencontres avec d'autres. Ce que nous apprenons, c'est que nous n'avons pas de point de vue privilégié : les prétentions que nous élevons, les autres les élèvent aussi, les enfants d'Israël comme les enfants d'Éthiopie. Mais c'est une action morale que de reconnaître l'altérité de cette manière. Si la réitération est, comme je le crois, une histoire vraie, alors elle inclut dans son récit le type de limites morales qu'on attribue usuellement au seul universalisme de la loi surplombante.

L'universalité de la réitération se manifeste aussi dans les circonstances de son apparition. Nous pouvons nous forger notre propre morale, mais nous ne le faisons pas au hasard, ni de n'importe quelle manière. Les agents autonomes et liés à des appartenances sont des personnes spécifiques, des êtres humains producteurs de morale, et les morales qu'ils élaborent doivent correspondre aux expériences qui sont les leurs[25]. Les expériences qui participent de la production de morale ont souvent à voir avec le pouvoir et avec la servitude, c'est-à-dire avec l'oppression, la vulnérabilité, la peur et l'exercice du pouvoir, expériences qui exigent qu'on puisse se justifier soi-même et demander l'aide d'autrui. Nous répondons à cette exigence de manière créative, c'est-à-dire de manière différentielle, quoi-

25. Anthony Smith, *The Ethnic Origins of Nations*, New York, Basil Blackwell, 1988.

que peut-être le plus souvent avec une confiance déplacée dans notre propre réponse, comme étant la seule légitime. Les exemples historiques suggèrent toutefois qu'il y a toute une série de réponses possibles et un nombre non négligeable de réponses effectives qui sont légitimes, au moins au sens où elles correspondent à la diversité des expériences ; c'est au cœur des circonstances qu'elles rencontrent les exigences morales.

La rencontre avec ces exigences peut être inadéquate ou malhonnête, mais il est difficile de penser qu'elle puisse être entièrement manquée. C'est par exemple une critique fréquente et souvent avisée des morales existantes, qu'elles concèdent la réalité de l'oppression et ainsi servent les intérêts des oppresseurs. Mais aucune morale faite par des êtres humains, confrontée à l'expérience humaine, ne peut servir les intérêts des seuls oppresseurs. Car aucun intérêt humain particulier ne peut être servi sans que cela n'ouvre la voie à un service plus large. Revenons à l'histoire de l'exode, dont le point de départ moral apparent est la conscience qu'Israël prend de l'oppression.

> Et les enfants d'Israël, réalisant leur servitude, se lamentèrent et leurs lamentations parvinrent à Dieu en raison de cette servitude[26].

La servitude fut la raison des lamentations, ce qui suggère une compréhension établie de ce qu'est ou de ce que devrait être une vie humaine libre. Quelles que soient les conditions sociales auxquelles les hommes sont assignés, de telles aspirations peuvent être reprises par quiconque. Nous pouvons être sûrs que les Philistins et les Syriens élevèrent des prétentions analogues (quoique non identiques) : ils se lamentèrent aussi, quoique leurs lamentations aient été dans leurs thèmes et leurs idiomes différentes de celles des Juifs. La production de morale autorise et vient à bout de telles lamentations, fournissant tou-

26. Exode, 2, 23.

jours (ou du moins tôt ou tard) des principes de justice selon lesquels elle fait sens.

Chaque réponse à une circonstance morale peut être critiquée du point de vue d'une autre réponse, plus ancienne ou concurrente. Nous pouvons apprendre les uns des autres, même si la leçon apprise n'est pas celle que l'autre voulait enseigner. La valeur du cadeau n'est pas fixée par celui qui l'offre. Il y a néanmoins de la valeur dans les cadeaux : une nation peut en fait être un phare pour d'autres. Les producteurs de morale (les législateurs et les prophètes, mais aussi les hommes et les femmes ordinaires) sont comme les artistes ou les écrivains qui s'emparent d'éléments du style de quelqu'un d'autre, voire empruntent des intrigues entières, non dans le but d'imiter, mais de manière à conforter leur propre travail. Nous nous améliorons ainsi sans pour autant nous identifier. En fait, nous ne pouvons nous identifier sans dénier ou réprimer notre propre pouvoir de création. Mais le déni ou la répression sont eux-mêmes des usages créateurs, même s'ils sont pervers, de ce même pouvoir et sont toujours suivis d'autres usages.

Envisageons maintenant une illustration plus concrète de nos réponses différentes à des circonstances morales similaires. Je commence avec la plus forte prétention contemporaine au statut de loi englobante : le principe que l'on doit aux êtres humains un soin et un respect égaux[27]. L'occasion morale adéquate est ici l'expérience de l'humiliation et de la dégradation – la conquête, l'esclavage, l'ostracisme, le statut de paria. Certains des hommes et des femmes qui sont conquis, réduits en esclavage, victimes d'ostracisme ou déclassés répondront avec des arguments sur le respect – faisant fonds sur les ressources des morales existantes. Mais parce que cette réponse doit être à chaque fois répétée à nouveau dans des circonstances diffé-

27. *Cf.* Ronald Dworkin, *Taking Rights Seriously*, Cambridge, Harvard University Press, 1977, p. 180-183.

rentes, avec des ressources différentes, l'idée de respect est elle même différenciée et ses noms sont multiples : honneur, dignité, valeur, statut, reconnaissance, estime, etc. Peut-être que décrits d'un point de vue abstrait, ce sont là une seule et même chose ; en pratique, dans la vie quotidienne, ce sont des choses très différentes. Nous pouvons difficilement traiter chacun selon toutes ces notions à la fois ; pas plus qu'il n'est en fait clair, malgré la loi surplombante, que nous pourrions traiter chacun également selon chacune de ces notions. L'injonction de la loi surplombante présuppose l'universalité qu'elle est destinée à produire. Seul Dieu peut montrer un soin et un respect égaux pour chacune des créatures créées à son image. Ceci n'exclut pas d'entretenir des relations privilégiées avec des hommes et des femmes singuliers, mais devrait exclure le type de favoritisme que le Dieu de la Bible manifeste régulièrement, comme par exemple quand il préfère le sacrifice d'Abel à celui de Caïn. Le fait que Dieu lui même soit sujet à des inclinations de la sorte invite à penser combien il est difficile pour nous d'imaginer nous conduire autrement.

En pratique, à nouveau, nous témoignons d'un soin et d'un respect égaux seulement lorsque notre rôle l'exige, et envers ceux auxquels ils sont dus, en fonction de ce même rôle. De nos jours, une telle injonction est le plus souvent adressée aux fonctionnaires de l'État : ils doivent donner l'exemple de cette forme d'égalitarisme dans toutes leurs relations avec les citoyens de cet État (mais il n'y sont pas tenus à l'égard des autres). Les citoyens sont collectivement leurs favoris, pour ainsi dire, mais en revanche, aucun favoritisme n'est admis plus avant qui trierait parmi les citoyens. Et la même injonction est réitérée pour les autres fonctionnaires et d'autres groupes de citoyens. La véritable loi surplombante est que tous les fonctionnaires devraient traiter leurs propres concitoyens avec un soin et un respect égaux. Mais c'est là encore une des lois surplombantes qui se monnaye aussitôt en différences. Ni la même concitoyenneté ni la même idée du respect ne sont universellement partagées – et donc ce qui exige le respect, ce n'est qu'indirectement l'individu lui-même ; c'est plus immédiatement le mode de vie, la culture du soin et du respect qu'il partage avec ses concitoyens. Aussi la loi a-t-elle la forme suivante : les gens doivent être traités en fonction de l'idée qu'ils se font eux-mêmes de la manière dont ils devraient être traités (ce qui revient à se garder de l'arrogance et de la présomption qu'il y a à protéger les gens prétendument dotés de complexes d'infériorité ou engoncés dans ce que les marxistes appellent la fausse conscience, selon les critères idéaux de leurs propres modes de vie). Ce n'est pas une loi morale sans importance, mais elle se comprend sans doute mieux selon la voie de la réitération que selon celle du surplomb.

Nous respectons les différentes expressions de la règle dans la mesure où nous les reconnaissons comme des réitérations de notre propre effort moral, entreprises dans des occasions similaires mais dans des circonstances historiques différentes et sous l'influence de croyances différentes en ce qui concerne le monde. Respecter les diverses expressions n'implique pas de ne pas les critiquer, pas plus que cela ne nous interdit de mettre en question les croyances sur lesquelles elles se fondent. Mais l'occasion la plus fréquente de cette critique est fournie par l'incapacité des expressions pratiques à vaincre les théoriques : des performances qui ne tiennent pas les promesses. Ainsi, nous pouvons exprimer un soin particulier pour nos propres enfants et reconnaître que d'autres parents font de même, quoique le comportement effectif qui exprime ce soin soit significativement différent du nôtre. De ce fait, comme nous savons ce que veut dire témoigner de soins, nous sommes aussi capables de reconnaître les cas où il n'y a pas de soin du tout, mais plutôt négligence ou violence (ou encore, absence de soins également partagés, favoritisme et discrimination). Il en va de même pour les fonctionnaires : il ne nous est guère difficile de reconnaître les situations où, indépendamment de ce qui est dit, l'effort moral requis n'est pas en fait entrepris – comme dans le cas par exemple des fonctionnaires britanniques vis-à-vis des paysans irlandais en 1845-1849[28]. Mais cela ne veut pas dire que quand cet effort est fait, il doive l'être toujours de la même manière.

Je témoigne ainsi d'un soin particulier pour mes propres enfants, mes amis, mes camarades et mes concitoyens. Et vous de même. Ce que l'universalisme par réitération exige, c'est de reconnaître la légitimité de ces actes répétés qui spécifient la morale. Je traite certains individus de manière particulière, mais cela veut seulement dire qu'ils sont particuliers pour moi ; et je suis capable de reconnaître et je dois reconnaître que d'autres personnes sont particulières pour vous. Ce que nous pouvons alors penser de lois surplombantes particularisées et restreintes transgresse chaque champ de spécialisation. Mais il n'y en aucune qui les recouvre tous, à l'exception du surplomb de la reconnaissance mutuelle et donc par nos expériences différentes mais communes de la réitération. Peut-être y a-t-il comme règle générale que tous les champs doivent être recouverts ; nous devons rencontrer des exigences morales en toutes circonstances. Nous devons nous expliquer et nous défendre, fonder nos plaintes, justifier nos prétentions, nous situer dans le monde moral et contribuer du mieux que nous pouvons à sa construction et à sa reconstruction. Mais nous faisons tout cela par nous-mêmes, dans un ici et maintenant particulier, à l'aide d'un ensemble local de concepts et de valeurs. Ce qui n'est qu'une autre manière de répéter que la réitération est une histoire vraie.

L'universalisme réitératif opère plutôt à l'intérieur des limites du nôtre et du leur – pas de la Raison avec un grand R,

---

28. C. B. Woodham-Smith, *The Great Hunger: Ireland, 1845-1849*, London, Harper and Row, 1962.

mais de notre ou de leur raison. Il exige le respect pour les autres, qui sont tout autant des producteurs de morale que nous le sommes. Cela ne veut pas dire que les morales que nous produisons et qu'ils produisent sont d'égale valeur (ou d'égale absence de valeur). Il n'y a pas d'uniforme singulier ou de critère éternel des valeurs ; les critères doivent être réitérés eux aussi. Mais à tout moment, une morale donnée peut se montrer inadéquate aux circonstances de sa mise en œuvre, ou sa pratique manquer à se conformer à ses propres critères ou encore à un ensemble nouveau ou confusément exprimé de critères alternatifs – car la réitération est une activité continuelle et exigeante. La plus grande exigence de la morale, le principe qui est au cœur de tout universalisme, est alors que nous trouvions quelque moyen de nous engager dans cette activité tout en vivant en paix avec les autres agents qui font de même.

Le nouveau tribalisme

PARTOUT dans le monde aujourd'hui, des hommes et des femmes réaffirment leurs particularismes locaux, leur identité nationale, ethnique ou religieuse, tout particulièrement en Europe de l'Est et en ex-Union soviétique où le phénomène est à la fois très intéressant et très inquiétant. Les tribus sont de retour et de manière encore plus spectaculaire aux endroits où elles ont été le plus sévèrement réprimées. Il apparaît aujourd'hui que les énergies populaires mobilisées contre les pouvoirs totalitaires, ainsi que la résistance plus passive qui a ébranlé de l'intérieur les régimes staliniens, ont été en grande partie nourries par des passions et des allégeances tribales dont l'analyse du développement historique reste à faire. Les tribus (la plupart d'entre elles en tout cas, ainsi que toutes les minorités et nations soumises) se sont vu refuser pendant plusieurs générations tout accès aux organes officiels de reproduction sociale : l'école publique et les médias. J'imagine des dizaines de milliers de vieux et de vieilles chuchotant à l'oreille de leurs petits-enfants, leur chantant des chansons populaires et des berceuses, et leur racontant des histoires séculaires. Par bien des côtés, c'est là une vision encourageante car elle montre que les totalitarismes sont inévitablement voués à l'échec. Mais que dire de ces chansons et de ces histoires qui sont souvent autant chargées de haine contre les nations voisines que d'espoirs d'une libération nationale ?

La gauche n'a jamais compris les tribus. Devant leur résurgence contemporaine la première réaction consiste à proposer leur endiguement dans les États multinationaux existants, ceux-ci ayant bien entendu été au préalable démocratisés mais non fractionnés. Cette attitude ressemble étrangement à celle qu'avaient les sociaux-démocrates au début du XXe siècle devant les mouvements nationalistes en lutte contre les anciens empires. L'« internationalisme » de la gauche doit beaucoup à l'impérialisme des Habsbourg et des Romanov, même si la gauche a toujours compté abolir la monarchie. Tant de nations coexistaient pacifiquement sous le régime impérial : pourquoi donc ne pourraient-elles pas continuer à vivre ensemble sous la bannière de la social-démocratie ? Tant de nations coexistaient pacifiquement sous le régime communiste : pourquoi... ? A l'heure où l'Europe occidentale est en train de se forger une nouvelle unité, comment peut-on défendre le séparatisme à l'Est ?

Nation et démocratie

Pourtant l'unité européenne est en soi le produit de séparations, ou tout au moins elle en est la suite historique. L'indépendance de la Suède de la tutelle danoise, puis des siècles plus tard, la séparation de la Norvège de la Suède (et celle de la Finlande de la Suède et de la Russie) ont ouvert la voie de la coopération entre les États scandinaves. La séparation de la Belgique et de la Hollande ainsi que les échecs de l'impérialisme français ont rendu possible l'expérience du Benelux. Des siècles de souveraineté des grands États européens ont précédé l'avènement de la Communauté européenne. Il est important de remarquer qu'avant de réussir la Communauté, ces États ont d'abord accédé non seulement à la souveraineté nationale mais à la démocratie. La Suède aurait pu indéfiniment conserver la Norvège sous son joug. Mais la pratique démocratique, même embryonnaire, a fait apparaître qu'il existait plus d'un seul *demos* et que la séparation devenait donc nécessaire si l'on voulait que se développe cette démocratie. Il en est de même à l'Est. Le multinationalisme tel qu'il existe là-bas est un produit de régimes prédémocratiques, voire antidémocratiques. Mais dès que l'on convoque « le peuple » dans la vie politique, il arrive organisé en tribus, chacune avec sa langue, sa mémoire, ses coutumes, croyances et allégeances, et il est impossible de leur faire droit au sein de l'ordre politique ancien.

Il se peut que ce soit d'ailleurs impossible. En Europe orientale aujourd'hui, dans le Caucase et dans une bonne partie du Moyen-Orient, les perspectives ne semblent guère favorables en raison du nombre de tribus qui se sont soudain réveillées et de leur imbrication fondamentale sur les mêmes territoires. Les bonnes frontières font les bons amis uniquement s'il existe un accord minimum sur leur tracé. En Occident, les États puissants sont nés avant l'apparition de l'idéologie nationaliste et ils ont réussi à réprimer et à intégrer la plupart des petites nations (les Gallois, les Écossais, les Normands, les Bretons, etc.). Les sécessions que j'évoquais ont eu lieu parallèlement aux processus de construction qui ont créé de grands États-nations avec des frontières dans l'ensemble assez identifiables et peuplés d'individus suffisamment attachés à l'union. De tels efforts ne semblent pas avoir porté leurs fruits en Europe de l'Est, en l'absence de citoyens, yougoslaves ou soviétiques par exemple, tenant à leur union. L'abandon des grandes identités s'opère donc à une échelle et avec une rapidité étonnantes, et rend ceux qui avaient voyagé sous leur protection tout à coup vulnérables : les Serbes en Croatie, les Albanais en Serbie, les Arméniens en Azerbaïdjan, les Russes dans les États baltes, les juifs en Russie, et ainsi de suite. Il ne semble pas y avoir de manière moralement acceptable de démêler les tribus, et en même temps leur imbrication est dangereuse, non pas seulement pour les individus, ce qui est compréhensible, mais pour l'existence et le bien-être de la communauté. Les démagogues exploitent les espoirs de renouveau national, d'autonomie linguistique, de développement libre de l'éducation et des médias, qui seraient menacés par des minorités cosmopolites ou antinationalistes. Simultanément d'autres démagogues exploitent les peurs des minorités en défendant les irrédentismes séculaires et en appellent (comme les Serbes de Croatie) à l'aide extérieure. Dans de telles circonstances, il est difficile de dire où se situe la justice, sans parler de savoir quelle politique il faudrait alors mettre en œuvre pour la faire respecter. Cela explique que la gauche, jamais très à l'aise avec les passions particularistes, soit tentée de se raccrocher aux unités existantes et de les faire fonctionner coûte que coûte. L'argument ressemble à celui que développait un pasteur puritain des années 1640 lorsqu'il défendait ainsi l'union conjugale contre la nouvelle doctrine du divorce :

> S'ils peuvent se séparer pour cause de désaccord, certains abuseront des dissensions, tandis qu'aujourd'hui il est préférable pour eux de ne pas se quereller car la loi les maintient ensemble de force jusqu'à ce que, de guerre lasse, ils cessent de se quereller.

Aujourd'hui comme hier le problème est que la justice, quelles que soient ses exigences, ne permet pas d'exercer le type de coercition qui serait nécessaire pour « les maintenir ensemble de force ». Il nous faut donc envisager le divorce en dépit de ses difficultés. Heureusement, le divorce entre nations n'a nullement besoin de revêtir une forme unique comme dans les familles. L'autodétermination pour mari et femme est relativement simple même lorsque des contraintes importantes pèsent sur les individus concernés. L'autodétermination pour les différents types de tribus (nations, groupes ethniques, communautés religieuses) est nécessairement plus complexe et les contraintes induites par la séparation plus variées. Il y a de la place pour différents types de solution.

Je doute qu'il soit possible de trouver une règle ou un ensemble de règles uniques pour déterminer la forme de la séparation et les contraintes induites. Il existe pourtant un principe général qu'on peut considérer comme l'expression de la démocratie dans la politique internationale. L'enjeu en est la valeur d'une communauté historique, culturelle ou religieuse et la liberté politique de ses membres. Celle-ci n'est pas compromise, me semble-t-il, par la découverte postmoderne que les communautés sont en fait des constructions sociales, imaginées, inventées, créées de toutes pièces. Les communautés construites sont les seules qui existent : elles ne sont ni moins réelles ni moins authentiques que d'autres. Leurs membres possèdent donc les droits attachés à leur statut de membre : *ils doivent pouvoir se gouverner eux-mêmes* dans la mesure où la situation locale le permet.

La démocratie n'a bien sûr pas d'unités naturelles, l'autodétermination de sujet absolu. Les villes, les nations, les fédérations, les groupes d'immigrants, tous peuvent se gouverner démocratiquement et ils l'ont fait dans l'histoire. Les tribus d'aujourd'hui les plus convaincues de la singularité de leur identité et de leur culture (par exemple les Polonais et les Arméniens) sont en fait des produits composites de l'histoire. En remontant assez loin, on trouvera des situations où les gens ont été maintenus ensemble de force (il s'agit là d'une méthode parmi d'autres de construction sociale). Mais si leurs descendants, oubliant leurs humiliations passées, se considèrent maintenant comme les membres à part entière d'une « communauté de caractère » dans laquelle ils trouvent identité, estime de soi et liens affectifs, comment pourrions-nous leur refuser un gouvernement démocratique qui leur soit propre ?

Sécession et souveraineté

A moins que... le gouvernement de la tribu A, divorcée sans difficultés, fasse de la tribu B une minorité vulnérable et malheureuse sur son propre territoire. Coincés dans une Croatie indépendante, les Serbes pensent (non sans raison) qu'ils vivront dans l'insécurité. L'unité politique doit donc être territoriale et non culturelle : toutes les tribus et fragments de tribus qui vivent ici (« maintenus ensemble de force » jusqu'à ce qu'ils déposent les armes) doivent se soumettre à l'autorité d'un État neutre et partager une citoyenneté sans particularisme. Mais la domination d'une tribu ou la détribalisation collective ne sauraient constituer les deux seules options. La seconde, si elle ne veut pas être une simple couverture pour la première, demanderait l'usage d'une coercition qui, comme je l'ai déjà indiqué, n'est ni moralement acceptable ni politiquement efficace. Car, après tout, nous ne nous inquiéterions pas de la Croatie et de ses Serbes si la Yougoslavie avait réussi à s'imposer sur ses États membres (elle était en effet, en théorie du moins, le parfait modèle de l'État neutre).

La neutralité n'a en fait des chances de fonctionner que dans les sociétés d'immigration où tous ont été transplantés de la même manière, de plein gré le plus souvent, et coupés de leur patrie d'origine et de leur histoire. Dans de tels cas (l'Amérique en est le meilleur exemple), les sentiments tribaux sont relativement faibles. Mais comment créer un État neutre en France, par exemple, où les Français de souche exercent un pouvoir démocratique sur les nouveaux immigrants du Maghreb (bien que parmi ces « immigrants », nombreux sont ceux qui ont la nationalité « française ») ? Quelle autorité internationale, impériale ou bureaucratique parviendrait à « détribaliser » les Français ? Ou les Polonais en Pologne, les Géorgiens dans une Géorgie indépendante, les Croates en Croatie ? La seule solution pour éviter une domination consiste alors à multiplier les entités politiques et les juridictions, autorisant ainsi une série de sécessions. Mais, nous dit-on, la série est sans fin car chaque divorce justifie le suivant et des groupes de plus en plus petits vont se former en vertu de leur droit à l'autodétermination, avec pour résultat une politique incohérente, instable et dangereuse.

Je crois qu'il s'agit là d'un cycle infernal qui n'a rien d'inévitable. Car il existe en réalité de nombreuses formules entre domination et détribalisation, et entre domination et sécession, ainsi que des raisons morales et politiques pour faire des choix différents suivant les situations. Le principe de l'autodétermination est susceptible d'être interprété et amendé. Ce que l'on appelle « la question nationale » n'a pas une seule bonne réponse, comme s'il n'y avait qu'une seule façon « d'être » une nation, une seule histoire nationale, un seul modèle de relations internationales. L'histoire nous révèle de nombreuses manières, versions ou modèles, ce qui semble indiquer l'existence de garde-fous (plus ou moins sûrs) contre ce cycle infernal. Voyons donc quelques-unes des possibilités les plus plausibles.

Le cas le plus simple est celui des nations « captives » qui n'ont été que récemment incorporées par la force. Les États baltes en sont un bon exemple puisqu'il s'agit de vrais États-nations dont la nationalité existe depuis longtemps, même s'ils n'ont accédé que récemment à l'indépendance et pour une brève durée. La captivité était injustifiable pour les mêmes raisons que la capture. Il s'agit ici du principe classique qui fait que l'agression est un acte contraire au droit. Il faut donc maintenant restaurer leur indépendance et leur souveraineté (dans ce cas précis, les exigences morales ont été réalisées en pratique). De plus, en opérant une sorte d'extension imaginaire de la nation, il est possible d'étendre les mêmes droits à des nations, non pas conquises mais opprimées par le pouvoir en place, qui *auraient dû être* indépendantes, car la solidarité du groupe y est patente. Dans de tels cas, je ne vois aucune raison de refuser une sécession.

Vertus de l'oubli

A moins que... Conquête et oppression ne sont pas seulement des actes contraires au droit dans l'abstrait. Elles ont des conséquences bien réelles sous la forme d'un mélange de peuples et la création de nouvelles populations hétérogènes. Imaginons que les immigrants russes forment aujourd'hui la majorité de la population lettonne : que resterait-il du droit de la Lettonie à l'autodétermination ? Imaginons que les colons français aient, vers 1950 par exemple, dépassé par leur nombre les Arabes et Berbères en Algérie : le droit à l'autodétermination « algérienne » aurait-il été entre les mains de la majorité française ? Ces questions sont difficiles à un double titre : elles sont à la fois douloureuses et complexes. Le monde change, pas nécessairement en mieux, et certains droits peuvent se perdre ou au moins se trouver réduits, sans que les victimes en soient responsables. Dans les cas que je viens de décrire, on peut défendre une partition qui laisse les « autochtones » avec moins qu'ils ne souhaitaient à l'origine, ou l'on peut vouloir créer un régime d'autonomie culturelle au lieu de la souveraineté politique qui semblait au départ moralement indispensable. On cherche le compromis le plus proche de la solution d'origine, en prenant en compte aujourd'hui ce qu'exige la justice pour des immigrants et des colons, ou leurs descendants, qui ne sont pas eux-mêmes directement en cause dans la conquête et l'oppression.

Le cas est identique pour les nations depuis longtemps agrégées, les aborigènes comme les Amérindiens ou les Maori de Nouvelle-Zélande. Leurs droits à l'indépendance se sont aussi réduits avec le temps, non parce que le mal qui leur fut fait a été réparé (il est possible qu'il s'aggrave même avec des effets de plus en plus nuisibles sur leur vie communautaire), mais parce que la possibilité de leur redonner ne serait-ce qu'une vague indépendance n'existe plus. Ils se situent entre la nation captive et la minorité nationale, ethnique ou religieuse. On leur doit davantage qu'une citoyenneté à part entière, un certain degré d'autonomie mais dont la traduction concrète dépendra de ce qui reste de leurs institutions et de la nature de leur participation à la vie commune de la société englobante. Ils ne peuvent demander de protection absolue contre les pressions et les attraits qu'exerce la vie commune, comme s'ils étaient une espèce en voie de disparition. Face à la modernité, toutes les tribus humaines sont des espèces en voie de disparition. Toutes, qu'elles soient ou non souveraines, ont été profondément transformées. Si l'on peut reconnaître un droit à résister à la transformation, à ériger des remparts contre la culture moderne, et donner à ce droit plus ou moins de champ suivant les structures constitutionnelles et les circonstances locales, il est impossible de garantir le succès de cette résistance.

Les droits des minorités

Un traitement juste des minorités nationales dépend de deux ensembles de distinctions : la première entre les minorités concentrées sur un territoire et celles qui sont géographiquement dispersées. La seconde entre des minorités radicalement différentes de la majorité de la population et celles qui ne le sont que très légèrement. Bien sûr, dans la pratique, ces différences ne sont que des continuums, mais il est préférable de commencer par les cas clairs. Considérons, par exemple, une communauté minoritaire possédant une histoire et une culture très spécifiques ainsi qu'un fort ancrage territorial comme les Albanais du Kosovo. Leurs frères contrôlent l'État voisin et eux sont pris du mauvais côté de la frontière à cause d'un mariage royal ou d'un victoire militaire qui date d'il y a bien longtemps. La solution humaine à leurs difficultés consisterait à déplacer la frontière, la solution brutale à « transférer » les populations. Quant à la meilleure solution pratique envisageable, ce serait de leur accorder une forte autonomie, avec l'accent mis sur les structures culturelles et éducatives accompagnées des moyens financiers nécessaires pour en assurer le bon fonctionnement.

A l'opposé on trouve des communautés peu différenciées et dispersées géographiquement, comme les groupes religieux et ethniques d'Amérique du Nord (bien qu'il existe dans les deux catégories des exceptions : par exemple les Canadiens français au Québec et les Amish en Pennsylvanie). En général ces groupes formulent peu de demandes d'autonomie ou d'indépendance, ce qui nous laisse penser que les risques de voir s'établir le cycle infernal des sécessions n'est pas si grand que cela. En réalité, ce qu'ils veulent surtout, c'est, à juste titre, une citoyenneté à part entière et le droit d'exprimer leurs différences dans des associations au sein de la société civile. Ils demandent aussi parfois des formes d'aide financière pour leurs écoles, leurs crèches, leurs maisons de retraite, etc. Mais de telles demandes dépendent plus de jugements politiques que de principes moraux, et exigent que l'on évalue les forces et les faiblesses internes de la société civile existante. (Cependant un groupe ayant subi une forte discrimination et se trouvant privé de moyens financiers et culturels a sans aucun doute des droits moraux sur l'État.)

Répétons encore que les majorités n'ont aucune obligation de garantir la survie des cultures minoritaires car souvent elles essayent elles-mêmes de survivre, prises dans leur combat contre le mercantilisme et l'internationalisation. Les frontières ne protègent que fort peu dans le monde moderne, et il arrive que les minorités à l'abri derrière leurs frontières et poussées par leur situation à faire bloc de manière exceptionnelle réussissent mieux à protéger leur mode de vie que la majorité plus ouverte. Et si ce n'est pas le cas, cela ne constitue pas une raison pour leur venir en aide. Elles ont en effet droit à une protection physique mais pas à la sécurité culturelle.

L'ajustement des droits aux circonstances est souvent long et violent mais il a lieu. On le voit aujourd'hui par exemple entre les nations géographiquement concentrées mais peu différenciées de l'Europe occidentale (Gallois, Écossais, Normands, Bretons, etc.) et dont les membres ont toujours refusé de soutenir les partis nationalistes extrémistes qui demandaient l'indépendance et la souveraineté. Dans de pareils cas, un régionalisme minimal semble être à la fois accepté par les populations concernées (exception faite d'un petit nombre appartenant à des minorités politiques et non ethniques ou religieuses) et acceptable sur le plan moral et politique. Il en va de même pour des populations très différenciées mais géographiquement dispersées, comme les Amish ou les juifs orthodoxes aux États-Unis, qui aspirent le plus souvent à un séparatisme apolitique et hyperlocalisé : écoles confessionnelles et quartiers réservés. Cette solution semble aussi convenir aux intéressés et être acceptable sur le plan moral et politique. Mais aucune théorie de la justice ne peut préciser la forme spécifique de ces mesures. En réalité, les formes se négocient historiquement et elles dépendent d'une compréhension commune du sens et du fonctionnement de la négociation. Gallois et Écossais ont participé au développement de la culture politique britannique même si ce n'est pas exactement de la manière dont ils l'auraient souhaité. Ils n'ont donc eu aucun mal à s'adapter à la démocratie parlementaire. Amish et juifs ont appris le répertoire du pluralisme américain tout en l'enrichissant.

De telles mesures devraient toujours être possibles mais on ne peut les imposer. C'est probablement le protestantisme commun de ses composantes nationales qui a permis à la *Grande*-Bretagne d'exister. L'essai d'inclusion des Irlandais s'est soldé par un échec terrible. Aujourd'hui l'inclusion des Slovènes dans la Yougoslavie semble aussi avoir échoué pour des raisons analogues. Il en va de même pour l'échec de l'internationalisme communiste en Pologne et du panarabisme au Liban. Pourtant, je ne veux pas dire que les différences religieuses, capitales dans les exemples cités, impliquent nécessairement la sécession. Les différences sont chaque fois différentes, si je puis dire, et elles dépendent plus de la mémoire et des sensibilités que de quelque mesure objective de la différence que ce soit. C'est pourquoi les modèles qui, comme le mien, se fondent sur des notions de concentration géographique et de différence culturelle restent des guides approximatifs. Il faut travailler prudemment et de façon expérimentale à trouver des solutions qui satisfassent les membres (et non les militants) de telle ou telle minorité. Il n'existe pas une seule bonne solution.

Cette recherche expérimentale est rendue beaucoup plus compliquée par les ressources économiques inégales entre les différentes tribus. Le fait qu'un des partenaires (par exemple une nation industriellement développée ou contrôlant des ressources du sous-sol) puisse en quittant l'union existante améliorer sa situation constitue sans nul doute un encouragement au divorce. Les autres partenaires, dont certains n'ont jamais été impliqués dans la moindre oppression nationale, se retrouvent appauvris. Ils vont contester le divorce mais il me paraît qu'ils ont droit à l'équivalent au niveau international de la pension alimentaire. On ne peut ainsi défaire brutalement des coopérations établies de longue date au profit du plus favorisé des partenaires. D'un autre côté, les partenaires ne sont pas condamnés à rester ensemble éternellement, en tout cas pas s'il existe plusieurs tribus différentes qui présentent les garanties démocratiques suffisantes pour permettre une autonomie ou une indépendance.

Souvent, les mouvements séparatistes dans les provinces ou les régions économiquement les plus favorisées d'une union établie ne présentent pas ces garanties. Le meilleur exemple fut celui de la sécession du Katanga en 1961. Celle-ci était, semble-t-il, inspirée par des chefs d'entreprises et de grands groupes belges, sans soutien local, ou, au moins, sans signes tangibles de mobilisation nationale. Dans de tels cas, la résistance des forces unionistes et leur appel à l'aide internationale sont totalement justifiés. Il existe bien sûr un faux tribalisme : en l'occurrence la manipulation de différences potentielles mais non encore perçues ni exprimées politiquement dans un but de profit économique. Cela n'implique en aucun cas que toute tribu riche et bien organisée soit artificielle. De même, il existe des cas où la résistance à la sécession n'est pas justifiée et ne doit pas être soutenue par la communauté internationale, dans la mesure où l'on peut trouver un accord qui protège les intérêts des autres parties. Il faut mettre en balance leur crainte de se voir dépossédés et celle d'être opprimés ou exploités, ainsi que leur désir d'expression culturelle et de liberté politique.

Rassurer et protéger

Le sentiment dominant qui produit les antagonismes nationaux, ainsi que la cause principale (mais pas unique) de guerre tribale est la peur. Je développe ici un vieil argument que l'on trouve à l'origine dans le *Léviathan* de Thomas Hobbes où il constitue une partie de l'explication de la « guerre de tous contre tous ». Hobbes avait alors en tête les guerres intestines de la fin du Moyen Âge mais aussi, ce qui est plus pertinent pour notre propos, les guerres de religion de son époque. Il y a toujours quelques personnes, écrit-il, qui prennent plaisir à contempler leur propre pouvoir à l'occasion de leurs actes conquérants. Mais la grande majorité a d'autres motivations : elle se contenterait « d'être à l'aise à l'intérieur de frontières limitées ». Ces hommes et ces femmes ordinaires sont amenés à se battre non par soif de pouvoir ou de richesses, non par fanatisme ou sectarisme, mais par leur peur d'être conquis et opprimés. Hobbes pense que seul un souverain absolu peut les libérer de cette crainte et rompre le cycle des menaces et des « anticipations » (à savoir la violence préventive). En fait, ce qui a rompu le cycle dans le cas des guerres de religion n'a pas été l'absolutisme politique mais la tolérance religieuse.

Les deux arguments fondamentaux au XVIIe siècle contre la tolérance nous sont aujourd'hui très familiers car ils ressemblent à ceux utilisés contre l'autonomie et la sécession des nations. Le premier est celui développé par les principaux groupes religieux en place qui prétendent incarner des valeurs comme la volonté divine ou la vérité universelle, qui selon eux sombreraient à coup sûr dans la cacophonie de la dissidence religieuse. Le second est l'argument du cycle infernal : la dissidence va se révéler sans limites et les nouveaux sectarismes toujours plus diviseurs ; les scissions se succéderont jusqu'à l'effondrement de l'ordre social dans l'incohérence et le chaos. Il est certain que la tolérance religieuse a permis le développement de nombreuses sectes nouvelles bien que celles-ci aient fleuri en marge de communautés religieuses plus ou moins stables. Mais, et c'est le plus important, elle a surtout eu pour résultat de faire perdre au conflit religieux son intérêt car elle rendait les dissensions plus tolérables. En créant des espaces protégés pour une grande diversité de pratiques religieuses, elle a résolu le problème de la crainte.

Il me semble qu'aujourd'hui nous devrions tendre vers une solution similaire : des espaces protégés de différentes sortes adaptés aux besoins des diverses tribus. Plutôt que de soutenir les unions existantes, je préfèrerais soutenir la sécession lorsque celle-ci est demandée par un mouvement politique qui, d'après ce que l'on peut savoir, représente la volonté populaire. Libre à ceux qui le veulent de partir. Nombreux sont ceux qui ne le feront pas. Et si leur départ se révèle politiquement ou économiquement néfaste pour eux, ils trouveront un moyen de rétablir les liens. Car si nous avons pour but la création d'une forme d'union (fédération ou confédération), la meilleure manière d'y parvenir est d'abandonner la coercition et de laisser les tribus se séparer dans un premier temps puis négocier ensuite leur adhésion, volontaire, graduelle et même partielle à une nouvelle communauté d'intérêts. La Communauté européenne en est un exemple de poids avec les autres nations qui s'en rapprocheront à leur propre rythme.

Mais à nouveau l'indépendance d'une nation peut être le début de l'oppression d'une autre. On croirait souvent que le but principal des libérations nationales n'est pas de se libérer du statut de minorité dans un pays gouverné par d'autres mais d'avoir à son tour des minorités à soi puis de les maltraiter. La règle de base des relations intertribales est : fais aux autres ce que l'on t'a fait à toi. Dans mon plaidoyer pour l'idée de libération, j'ai pour l'essentiel laissé de côté l'échec répété de nouveaux États-nations à répondre aux exigences morales de la « nation suivante », c'est-à-dire à reconnaître aux autres les droits affirmés par leur propre indépendance. Je n'essaie pas de sous-estimer la violence des extrémistes tribaux. Mais les extrémistes des guerres de religion n'étaient-ils pas tout aussi virulents ? A côté, leurs descendants d'aujourd'hui paraissent bien inoffensifs, car ni très séduisants, ni très dangereux. Pourquoi les nationalistes contemporains ne connaîtraient-ils pas la même évolution, leur virulence s'atténuant jusqu'à en perdre tout danger ? Mettez-les dans un monde où ils ne se sentiront pas menacés et combien de temps encore croiront-ils qu'il est de leur intérêt de menacer les autres ?

Diversité des modèles

C'est au moins là l'argument hobbésien. Bien sûr il existe dans toute tribu des hommes et des femmes – Serbes et Croates, Lettons, Géorgiens et Russes, Grecs et Turcs, juifs d'Israël et Arabes palestiniens – qui prennent plaisir à la conquête et dont le but est avant tout de triompher de leurs voisins et ennemis. Mais ils n'exerceront pas le pouvoir sur leurs tribus si l'on permet à leurs compatriotes de vivre « à l'aise dans des frontières limitées ». Chaque tribu à l'intérieur de ses frontières limitées : voilà l'équivalent politique de la tolérance pour les sectes et les Églises. Cela est rendu possible (quoique difficile et politiquement incertain) par le fait qu'il n'est pas nécessaire que les frontières englobent la même sorte d'espace dans tous les cas.

Mais c'était l'État qui faisait respecter la tolérance religieuse et les autorités politiques qui désarmaient et neutralisaient les extrémistes religieux. Les extrémistes tribaux en revanche veulent précisément prendre le pouvoir : ils veulent devenir eux-mêmes des autorités politiques et remplacer le pouvoir impérial qui les a forcés à vivre en paix avec les autres minorités intérieures. Qui les réfrénera après l'indépendance ? Qui protègera les Serbes dans une Croatie indépendante ou les Albanais dans une Serbie indépendante ? Je n'ai à ces questions aucune réponse simple. Dans une démocratie libérale, les minorités nationales peuvent se mettre sous la protection de la Constitution. Mais il est peu probable que beaucoup de nouvelles nations soient libérales ou démocratiques. Le plus grand espoir de contrôle réside, à mon sens, dans un système d'équilibre de pouvoirs au niveau fédéral ou confédéral et dans la pression de la communauté internationale. Les traités sur les nationalités de l'entre-deux-guerres furent des échecs retentissants. Pourtant il devrait être possible de réussir à protéger les minorités si les États-nations sont suffisamment solidaires. Imaginons que les *leaders* de la Communauté européenne, de la Banque mondiale ou même des Nations unies disent à toutes les nations voulant l'indépendance : nous reconnaîtrons votre indépendance, commercerons avec vous et vous apporterons une aide économique à la condition expresse que vous trouviez un moyen de satisfaire aux demandes de vos minorités nationales qui craignent votre pouvoir souverain. Aide et reconnaissance sont à ce prix.

La forme de ces accords ne doit pas être déterminée *a priori* (je dois le répéter car nombreux sont ceux qui cherchent une solution théorique rapide). Elle dépendra de la personnalité des nouveaux États et du processus de négociation. Sécession, révision de frontière, fédération, autonomie régionale ou de fonctionnement, pluralisme culturel, les possibilités sont nombreuses et il n'y a pas de raison de penser que le choix de l'une ou l'autre pour un cas précis implique un choix similaire pour les autres. Comme le suggèrent les exemples d'Europe occidentale que je viens de citer, il est probable que les choix seront déterminés plus par les circonstances que par des principes abstraits. Il suffit qu'il existe un consensus international affirmant l'existence d'une palette de choix et soutenant toute solution politique qui satisfait la tribu en danger.

Mais le résultat n'est pas assuré, et parfois, devant les guerres tribales, certains d'entre nous peuvent avoir une nostalgie pour la répression uniforme qu'exerçaient les empires ou même les régimes totalitaires. Car la répression ne fut-elle pas menée au nom de l'universalisme ? Et n'aurait-elle pas pu produire, si elle avait duré assez longtemps, une vraie détribalisation ? Nous regarderions alors le passé et dirions que tout comme l'absolutisme des premiers monarques a été nécessaire pour vaincre l'aristocratie et éliminer la féodalité, l'absolutisme impérial ou la bureaucratie communiste ont été indispensables pour surmonter le tribalisme. Il se peut que les bureaucraties se soient effondrées trop rapidement, avant de pouvoir achever leur « tâche historique ». Mais cette argumentation reprend l'incompréhension de la gauche pour les tribus. Il est vrai que la répression, si elle est assez dure et assez longue, peut détruire des tribus particulières. Mais la destruction du tribalisme dépasse de loin ce que peut faire même le plus répressif des pouvoirs. Ce n'est la « tâche historique » de personne. La féodalité est un régime et les régimes se remplacent. Le tribalisme est un engagement des individus et des groupes dans leur propre histoire, culture et identité, et cet engagement (dans son principe) est une donnée fondamentale de l'espèce humaine. De même l'esprit de clocher qu'il suscite est une constante. On ne peut le supprimer ; il faut donc s'en accommoder, ce qui veut dire que le principe universel fondamental est qu'il est *indispensable* de *s*'en accommoder (et cela est vrai non pas seulement de mon esprit de clocher, mais du vôtre et du sien...).

Lorsque mon esprit de clocher est menacé, je suis alors totalement réduit aux limites de ma tribu : je suis exclusivement Serbe, Polonais, juif. Mais dans le monde moderne (et peut-être aussi dans le passé), c'est là une situation artificielle ; je suis naturellement divisé dans mon être ; je me nourris même de ces divisions. A condition que ma sécurité soit assurée, je vais développer une identité plus complexe que celle que propose le tribalisme. Je vais m'identifier à plus d'une seule et unique tribu : je serai Américain, juif, habitant de la côte Est, intellectuel, professeur. Imaginons qu'à travers la planète se multiplient ainsi les identités : le monde commencerait alors à être moins dangereux car la multiplication des identités divise les passions.

Nous devons donc réfléchir aux structures politiques les mieux adaptées à cette multiplication et cette division. Il ne s'agira pas de structures unifiées, ni identiques. Certains États seront rigoureusement neutres avec une pluralité de cultures et une citoyenneté commune, d'autres seront des fédérations, d'autres encore des États-nations avec une autonomie des minorités. Parfois le pluralisme culturel s'exprimera uniquement dans la sphère privée, parfois dans la sphère publique. Parfois les tribus seront éparpillées géographiquement, parfois elles seront regroupées. La nature et le nombre de nos identités étant différentes, et même très différentes lorsqu'on considère des populations entières, on trouvera donc un grand nombre de solutions, et c'est un bien. Chacune aura ses avantages et ses inconvénients, aucune ne sera permanente : la résolution des différences ne produira jamais de résultat définitif. Cela veut aussi dire que notre humanité commune ne fera jamais de nous les membres d'une seule et même tribu universelle. Car le caractère commun le plus fondamental de l'humanité, c'est le particularisme. La fin des empires et des régimes totalitaires nous permet enfin de reconnaître cette communauté de caractère et de commencer les difficiles négociations qu'elle exige.

Comment valoriser le pluralisme ?

Une lecture d'Isaiah Berlin

DANS SON CÉLÈBRE ESSAI sur *Guerre et Paix* de Tolstoï, Isaiah Berlin divise l'ensemble de ceux qui se mêlent d'écrire sur les affaires humaines – philosophes, historiens, théoriciens de la société, essayistes et poètes – en deux catégories qu'il baptise plaisamment celle des hérissons et celle des renards, en référence à un vers du poète grec Archiloque : « Le renard connaît beaucoup de choses, tandis que le hérisson n'en connaît qu'une grande. » La sympathie d'Archiloque semble aller aux hérissons, qui sont engagés – écrit Berlin – dans une « vision unique, centrale, un système [...], un principe organisateur universel, dans les termes duquel tout ce qu'ils sont et disent prend son sens, et uniquement là ». Mais Berlin luimême court avec les renards, qui « poursuivent plusieurs fins, souvent sans liens, sinon contradictoires entre elles », et dont la pensée se meut « sur plusieurs niveaux, saisissant l'essence d'une grande variété d'expériences et d'objets pour ce qu'ils sont en eux-mêmes, sans chercher à les intégrer dans ou à les exclure de quelque vision intérieure, immuable et embrassant tout ».

Apparemment, ces dernières lignes conviennent parfaitement pour caractériser l'œuvre de Berlin lui-même comme historien des idées : n'a-t-il pas écrit avec talent sur une extraordinaire variété d'auteurs très différents tant par leur vie et leurs relations que par leurs opinions, en cherchant toujours à rendre compte de « ce qu'ils sont en eux-mêmes » ? Et pourtant, l'engagement du renard dans la multiplicité est encore... un engagement et, dès lors, comme le soulignaient dans *The New York Review* Sidney Morgenbesser et Jonathan Lieberson, il se prête à une interprétation hérissonienne, qu'il le veuille ou non. En fait, Berlin sait « une grande chose », à savoir – selon nos deux auteurs – que « des questions telles que : "quel est le but de la vie ?" ou "quel est le sens de l'Histoire ?" ou "quelle est la meilleure manière de vivre ?" ne peuvent pas recevoir de réponse générale », ni même de réponse en fait[1].

Aujourd'hui John Gray publie un livre qui développe de façon systématique cette interprétation hérissonienne[2]. L'œuvre entière de Berlin, explique-t-il, est animée par une « idée maîtresse » unique, – et cette idée maîtresse n'est autre que le pluralisme, c'est-à-dire l'idée qu'il n'y pas d'idée maîtresse. Est-ce là un paradoxe ? Ou bien est-il simplement dans l'ordre des choses que, si vous parvenez à faire courir moins vite le renard, il se révèlera, à l'examen, être un hérisson de plus – mais légèrement original ?

Le livre de Gray est plus une reconstruction qu'une présentation de la pensée de Berlin. Il prend soin de nous exposer ce que Berlin a dit et quel serait probablement son avis sur les questions cruciales auxquelles Gray s'intéresse le plus, mais il nous explique aussi ce que Berlin devrait dire et croire si sa pensée devait être prise comme un tout bien formé, un sys-

---

1. "The Questions of Isaiah Berlin" et "The Choices of Isaiah Berlin", dans *The New York Review*, 6 et 20 mars 1980.

2. John Gray, *Isaiah Berlin*, Harper-Collins/Princeton University Press, 1996.

tème cohérent. Mais « le renard connaît beaucoup de choses », et Berlin n'a cessé de souligner que ces diverses choses ne s'agglomèrent pas nécessairement de façon systématique (ni de quelque autre façon que ce soit). Il ne s'est assurément jamais présenté comme un bâtisseur de système, ni comme un écrivain détenant – ou aux prises avec ! – une idée maîtresse ; c'est un merveilleux essayiste, peut-être le meilleur que nous ayons. Ses plus longs écrits sont des essais développés – équivalents en histoire de la philosophie des nouvelles en littérature – sur des auteurs comme Tolstoï, Herder, l'exotique Hamann et Giambattista Vico.

De façon typique, les articles de Berlin étaient dispersés aux quatre vents, parus dans tant de lieux, souvent obscurs, que bien peu de lecteurs avaient la moindre idée de leur importance et de leur nombre jusqu'à ces dernières années, où ils ont été réunis par des amis et des collègues en une série de volumes. Lus ensemble, ils invitent à se poser la question qu'ils ne posent cependant jamais : est-ce que ces « nombreuses choses », ce remarquable assortiment de pénétration historique, de réflexion philosophique et d'argumentation claire ne s'additionnent pas jusqu'à former une position ?

Je ne suis pas sûr que Berlin aimerait être « totalisé » de cette manière. Il préférerait sans doute que nous généralisions son propre genre favori et que nous écrivions sur lui des essais plutôt que des livres comme celui de Gray[3]. Mais la reconstruction n'en reste pas moins impressionnante et éclairante. Elle montre de façon convaincante la cohérence de la pensée de Berlin mais aussi ses tensions internes. On songe : voici bien ce que Berlin aurait dit et la manière dont il l'aurait dit, s'il avait été quelqu'un d'autre... avec les opinions d'Isaiah Berlin.

---

3. Dans ce registre, voir par exemple Edna Margalit et Avishai Margalit (sous la dir. de), *Isaiah Berlin: A Celebration*, Londres, Hogarth Press, 1991, un joli recueil d'articles dans lequel certains des auteurs semblent parfois imiter la prose galopante et haletante de Berlin.

L'incompatibilité des valeurs

L'idée maîtresse de Berlin, d'après Gray, est : « valoriser le pluralisme ». C'est une expression d'une grande portée – non seulement parce qu'il y a beaucoup de formes du bien différentes dans le monde, beaucoup de versions différentes de ce que sont une vie bonne et une société bonne, mais aussi parce que ces « biens » sont parfois, sinon souvent, incommensurables et incompatibles entre eux. Gray fait commencer son analyse du premier des termes de la formule par cette définition du philosophe d'Oxford Joseph Raz :

> Dire de deux valeurs qu'elles sont incommensurables signifie qu'elles ne peuvent faire l'objet d'une comparaison.

Cette affirmation doit obéir à une conception particulière de la notion de comparaison, celle-ci étant, d'après mon dictionnaire, « une découverte de ressemblances ou de différences ». Berlin est un découvreur remarquable et aventureux de différences, d'où l'on peut conclure clairement qu'il est engagé dans une comparaison de valeurs. Ce qu'il veut dire lorsqu'il affirme que les valeurs sont (parfois) incommensurables, et ce que veulent dire également Raz et Gray, c'est qu'elles ne peuvent être disposées sur une échelle unique. Une telle échelle n'existe pas, pour Berlin, et il n'existe donc pas de mesure universelle des degrés du bien.

Les valeurs sont également souvent ou parfois incompatibles entre elles. Si elles pouvaient être disposées sur une même échelle, si nous, nous pouvions déterminer quel est le groupe situé au sommet, et si nous essayions ensuite de vivre en suivant ces valeurs, ce projet s'avérerait intenable. Les formes du bien qui sont représentées, mettons, par les vies respectives du héros grec « à l'âme valeureuse », du saint chrétien et d'un philosophe analytique contemporain ne peuvent être combinées en une seule vie bonne qui, grâce à cette combinaison, serait meilleure que n'importe laquelle des autres. Ces biens ne sont pas seulement différents et impossibles à placer sur une échelle ; ils sont aussi radicalement incompatibles. On ne peut les posséder tous ; on ne peut régler sa vie d'après tous, en tout cas pas simultanément. Bien sûr, ces biens pourraient être réalisés successivement, en série. Rien n'empêche d'imaginer un héros grec qui se convertit au christianisme avant de perdre ou de transformer sa foi et de devenir un philosophe analytique, mais ce récit de vie ne ferait pas un *Bildungsroman* ; il ne décrit pas l'accès à une maturité ni la « venue de l'âge ».

Du principe de Berlin qui veut que l'on valorise le pluralisme découlent deux conclusions, et une grande partie du livre de Gray est consacrée à les présenter dans une version bien faite pour produire le maximum du malaise qu'elles ne manqueront pas de toute façon de provoquer chez des philosophes anglo-américains (ainsi que chez beaucoup d'hommes et de femmes ordinaires, philosophes-de-tous-les-jours-non-professionnels). Première conclusion : il n'y a pas de description unique universellement juste, vraie ou même seulement utile de ce que serait la personne bonne, la vie bonne, la société bonne. Ici, Berlin s'oppose à ce qu'il estime à juste titre être « le courant central de la tradition occidentale ». De la tradition telle qu'elle se présentait avant Herder et les romantiques, il note qu'« une hypothèse y fut communément partagée » : il était possible, au moins en principe, de tracer une esquisse de la société ou de l'homme parfaits, n'était-ce que pour déterminer la distance qui séparait une société ou un individu donnés de l'idéal... Les problèmes de valeur étaient en principe susceptibles de recevoir une solution, et une solution par la fin, la finalité.

Dans la mesure où beaucoup de gens croient encore cela, malgré les échecs répétés des tentatives visant à réaliser la finalité, l'opposition de Berlin à cette idée reste aujourd'hui ce qu'était celle de Herder en son temps : une provocation et un appel à la joute intellectuelle.

La seconde conclusion berlinienne est encore plus provocatrice, même si je pense que Gray grossit le trait de l'opinion de Berlin lorsqu'il l'expose la première fois (il en donne par la suite une présentation plus nuancée). Les hommes et les femmes, aussi bien dans leur vie privée qu'en tant que membres ou dirigeants de mouvements, de partis ou d'États, sont confrontés à des choix pour lesquels il n'existe pas de critères rationnels – ils doivent donc faire des choix radicaux, prendre des décisions sans fondements, sauter dans le vide. Nous connaissons tous l'exemple que Jean-Paul Sartre avait donné de ce genre de dilemmes : Sartre décrit la situation d'un jeune homme qui, au début des années 1940, doit choisir entre rester aux côtés de sa mère âgée et malade et rejoindre la Résistance. Le jeune homme, désespéré, demande conseil au philosophe. Il n'y pas de raisons objectives de suivre une voie plutôt que l'autre, lui dit Sartre ; il doit simplement choisir.

Berlin écrit quelquefois dans cette veine existentialiste, mais ce n'est pas vraiment son style, et je ne pense pas qu'il admettrait l'opposition tranchée construite par Gray entre la « connaissance du juste » d'un côté, et la « décision sans fondement » de l'autre. Assurément, le pluralisme de Berlin est radical, mais Berlin lui-même est un homme tout disposé à chercher des voies moyennes et à faire siens des arrangements de bon sens. Il sait que nous sommes parfois confrontés à des choix tragiques lorsque nous devons nous détourner d'un bien (parce qu'il est incompatible avec un autre bien) ou embrasser un mal (pour éviter un autre mal), mais nous n'affrontons pas ce genre de situation tous les jours et, même lorsque nous y sommes confrontés, nous ne faisons pas que choisir. Dire que, sauf si je suis sur un terrain solide comme du rocher, avec une connaissance certaine de la bonne chose à faire, toutes mes décisions sont dénuées de fondement, cela n'a pas de sens. Je peux tout à fait avoir de bonnes raisons de choisir cette voie ou cette autre sans que ces raisons soient démontrables par A+B. Étant donné les circonstances concrètes de ma propre vie telles que je les interprète ou telles que mes amis les interprètent pour moi, un choix apparaît souvent plus sensé qu'un autre. Mais cela ne veut pas dire et n'a pas à vouloir dire que ce choix est incontestablement garanti par une théorie vraie de la vie bonne (pas plus que ne l'est ce que mes amis – y compris mes amis philosophes – peuvent me dire).

En fait, valoriser le pluralisme n'est pas aussi dur que Gray le fait paraître – comme si les pluralistes étaient toujours des héros, choisissant d'avancer dans la vie sans la « consolation métaphysique » d'une certitude doctrinale. Mais de tous les réconforts de la vie quotidienne, la consolation métaphysique est sans doute celui dont il est le plus facile de se passer. Je ne prétends pas associer Isaiah Berlin à ce jugement de philistin, et je reconnais tout à fait que pour certains hommes et certaines femmes, le renoncement à la certitude est extrêmement inquiétant, et même angoissant (plus grande est l'angoisse, cependant, plus bref le renoncement). Mais la plupart des gens, aussitôt qu'ils ont trouvé quelque terrain acceptable pour leurs projets et leurs décisions, s'y installeront pour un long séjour. Ils n'ont pas à croire et, de fait, souvent, ils ne croient pas (demandez-leur !) qu'il aurait été absolument mauvais, mauvais du point de vue de Dieu, de s'installer n'importe où ailleurs. Ils jettent un œil sur les autres choix qu'ils auraient pu faire et décident que, tout bien considéré, il vaut probablement mieux rester où ils sont.

La pluralité des choix politiques possibles est beaucoup plus difficile à reconnaître. Les dirigeants des partis, qui luttent pour galvaniser et mobiliser leurs sympathisants et pour obtenir l'adhésion d'hommes et de femmes non engagés, ont vite fait de s'appuyer sur des principes absolus. Ils n'offrent pas de consolation métaphysique mais seulement la position idéologique correcte (ce qui n'est peut-être qu'une version amoindrie de la même chose). En tout cas, ils sont généralement opposés au principe de valorisation du pluralisme. Ils pensent rarement que leurs propres convictions en matière politique pourraient être autres qu'elles ne sont, ou que leurs opposants pourraient n'avoir pas totalement tort. Et c'est à partir de là, en pensant à ce trait de la vie politique, que Gray fait commencer son questionnement logique mais subversif sur la cohérence des idées philosophiques de Berlin. Ce sont des questions comme : est-ce que le libéralisme, c'est-à-dire la position politique de Berlin, n'est pas lui-même l'une de ces convictions qui est crue ou au moins décrite de cette façon définitive ? Combien de libéraux pensent vraiment que leur option politique n'est qu'un chemin légitime parmi beaucoup d'autres ? Est-ce que la liberté que le libéralisme vise à garantir n'est pas une valeur absolue, sans concurrents et, par conséquent, une valeur non pluraliste ? Et la défense de la liberté et du libéralisme à laquelle se livre Berlin n'est-elle pas incompatible avec sa propre « idée maîtresse », selon laquelle les valeurs ne peuvent être ordonnées et les choix sont sans fondements ?

Être libre de choisir

Berlin est sans aucun doute un libéral. En même temps, c'est un admirateur de l'État-providence britannique et du *New Deal* américain, donc de l'espèce des sociaux-démocrates. Il est opposé à toute version de la conception *Whig* de l'Histoire comme progrès ; c'est donc un moderniste doté d'une forte conscience du danger et du conflit, et d'un maigre optimisme quant à l'avancée humaine. Il a passé sa vie à critiquer au moins les formes les plus accentuées du rationalisme des Lumières. Il rejette le rêve libéral d'une civilisation universelle d'hommes et de femmes aux esprits semblables et élevés. Il éprouve de la sympathie pour certaines aspirations nationalistes à l'indépendance culturelle et à la souveraineté politique. Et pourtant c'est un libéral, et son libéralisme, précisément à cause de ses doutes et de ses particularités, est, dit Gray, « le plus profondément étayé [...] le plus formidable et le plus convaincant jamais développé jusqu'ici » (il n'est évidemment pas incommensurable avec d'autres versions du libéralisme du XXe siècle).

Les sujets du libéralisme de Berlin sont des hommes et des femmes engagés dans le problème qui consiste à décider de la manière dont ils doivent vivre et des choses qu'ils doivent faire. Sa célèbre défense de la liberté négative est une défense de ces gens-là. Ils doivent être libres de faire non pas les « bons » choix (puisque les valeurs qu'ils élisent et qui guident alors leurs choix ultérieurs ne peuvent être classées hiérarchiquement), mais les choix qu'ils font. Si l'État intervient, son intervention doit être clairement vue comme une limitation de la liberté, de quelque façon que cette intervention soit justifiée (et elle peut quelquefois être justifiée). Mais est-ce que cette vie de choix n'est pas elle-même une manière de vivre particulière, parmi bien d'autres, incommensurables ? Berlin le nie quelquefois :

> Être libre de choisir et de ne pas se voir imposer des choix est un ingrédient inaliénable de ce qui rend humain les êtres humains.

Mais cela paraît exagéré, pour deux raisons. D'abord, parce que les hommes et les femmes peuvent renoncer à cette liberté, et le font souvent, par exemple lorsqu'ils intègrent un ordre religieux, une armée ou un parti politique discipliné, et Berlin ne nie pas la valeur possible de telles organisations et des vies qu'elles façonnent. Deuxièmement, parce que bien des cultures et des civilisations, même si elles reconnaissent et favorisent un certain degré de choix individuel, n'accordent pas à la version berlinienne de la liberté une place centrale dans la vie quotidienne de leurs membres. Que ce soit dans des communautés religieuses, dans des familles ou des villages traditionalistes à travers le monde, d'autres valeurs occupent le centre ; et leurs membres n'en paraissent pas moins humains. Quel argument y a-t-il donc en faveur de la supériorité d'une civilisation libérale ? Ou, comme Gray formule la question, à sa manière qui cherche toujours le système :

> Le statut privilégié et la valeur de la prise de décision en tant qu'activité humaine découlent-ils de la réalité universelle du conflit et de l'incommensurabilité entre les différentes valeurs ?

Peut-être n'est-ce là qu'une question philosophique – et une réponse possible serait d'ignorer sa visée de systématisation et de souligner plutôt les rapports évidents et ordinaires entre le fait de valoriser le pluralisme et le libéralisme. C'est l'axe de l'argumentation de Berlin et de Bernard Williams répondant ensemble à un critique (George Crowder) dont l'objection est assez proche de celle formulée par Gray. « Ce style formel, écrivaient Berlin et Williams, n'est pas la manière la plus éclairante de discuter de ces objets[4] », avant de recommander une analyse historique et politique plus concrète. Concrètement en effet, il y a de nombreux liens entre le pluralisme et le libéralisme, et ils marchent de concert. L'expérience du pluralisme (par exemple après la Réforme protestante) a probablement tendance à engendrer chez certaines personnes – en quelle proportion, cela reste une question – un engagement en faveur de la tolérance, du respect, de la liberté de choix, et ces personnes sont celles que les gens admirent le plus, les ennemis de la cruauté et de l'oppression. Les institutions et les pratiques du libéralisme ont tendance à ouvrir l'espace public à des groupes qui subissaient auparavant la répression et devaient donc rester invisibles, faisant ainsi d'un pluralisme purement théorique ou potentiel un pluralisme actuel, sur Terre – laissant donc les individus libres de vivre la vie qu'ils valorisent, sans s'exposer à la coercition,

4. "Pluralism and Liberalism: A Reply", dans *Political Studies*, juin 1994, p. 309.

à l'humiliation ou à la peur. Le libéralisme est une manière d'accommoder ou de rendre possible le pluralisme ; le pluralisme procure les occasions critiques dans lesquelles les valeurs libérales importent. Est-il vraiment important de savoir lequel prime en principe, ou lequel suit logiquement l'autre ?

Je suis incliné à penser que les arguments informels, pragmatiques de cette sorte sont les meilleurs, et je reviendrai plus loin sur l'un d'eux. Mais Gray a plusieurs alliés puissants, qui ne sont pas étroitement formalistes et envers lesquels, à mon avis, Berlin ne serait pas sans éprouver quelque sympathie. En premier lieu, valoriser le pluralisme, si le libéralisme est lui-même une valeur et pas seulement une manière de décrire le monde, supposerait d'accepter qu'un grand nombre de personnes soient autre chose que des libéraux, soient en fait des non-libéraux ; et que ces différentes personnes croient en différentes visions du monde, les « incarnent » et les mettent en pratique. Puisque ces autres visions sont valables (au moins certaines d'entre elles) et cela, incommensurablement, nous n'avons pas de raison (quelles que puissent être par ailleurs les raisons que nous avons pour nos propres choix) de souhaiter qu'elles disparaissent de la surface de la Terre. Cela ne veut pas dire que toute vision du monde et toute manière de vivre soient également et incommensurablement valables. Berlin n'est pas relativiste. Il exclut fermement certaines croyances, attitudes, pratiques, et certains modes de vie – évidemment celles et ceux qui sont associés aux dictatures nazie et communiste – comme étant incompatibles avec notre humanité commune. Mais de quelque façon que l'on conçoive cette humanité, celle-ci n'implique pas nécessairement le libéralisme politique. Il y a (certaines) valeurs non libérales ou a-libérales, parmi lesquelles les valeurs liées à la foi religieuse traditionnelle, qui sont – en cela non plus Berlin n'est pas relativiste – authentiquement valables.

Le second allié de Gray demande un examen un peu plus approfondi. Bien qu'une conception courante du libéralisme y voie une forme de neutralité politique, les sociétés libérales ne sont pas neutres quant à leurs effets sur les manières de vivre qu'elles autorisent, soutient cet allié. Elles ne sont pas de simples systèmes de choix, sans impact sur l'éventail des choix réellement offerts. Il faut plutôt reconnaître qu'« elles tendent à mettre les formes de vie non libérales hors-circuit, à les ghettoïser et à les marginaliser... ». En effet, si elles ne font pas cela, les sociétés libérales risquent de se retrouver déchirées par une guerre culturelle (de laquelle le libéralisme pourrait bien sortir perdant) – telle que celle qui déchire actuellement les États-Unis, lorsque les chrétiens fondamentalistes refusent de vivre tranquillement dans les marges de la société. Les fondamentalistes craignent (à juste titre, suggère le raisonnement de Gray) que dans une société gouvernée par des renards libéraux plutôt que par des hérissons chrétiens, donc une société dans laquelle des manières de vivre et des systèmes de valeurs très variés sont tolérés, respectés, et non pas classés hiérarchiquement, leurs propres enfants ne deviennent... quoi ? Ils pourraient bien devenir des protestants libéraux, ou des agnostiques, ou des « relativistes » – dans tous les cas, des adultes engagés dans un autre rapport à la vérité évangélique que celui qu'entretenaient leurs parents. Les parents croient (à juste titre, suggère encore Gray) qu'ils ne peuvent maintenir et reproduire leurs propres mœurs et valeurs que s'ils exercent un certain degré d'autorité coercitive sur la vie publique de la société américaine (ainsi, par exemple, censureront-ils la pornographie et exigeront-ils des professeurs des établissements publics qu'ils donnent une présentation « neutre » du créationnisme et de l'évolution).

Le choix présenté par Gray est le suivant : ou bien les parents (ou leurs enfants) deviennent « libéraux » comme tout le monde, ou bien tout le monde se met à vivre sous un ensemble de règles moins libéral. La question de Gray – « pourquoi la liberté devrait-elle primer sur la diversité ? » – ne paraît pas correspondre exactement au problème posé par ce genre de situation, car la diversité y est menacée de chaque côté. Mais le dilemme est clair. Certaines manières de vivre, considérées comme valables par un grand nombre de personnes, ne sont pas compatibles avec les valeurs libérales et ceux qui les adoptent ne sont sans doute pas à l'aise dans un environnement libéral. Dans des pays comme les États-Unis, tout ce que l'on peut faire pour ces gens (et tout ce que Berlin accepterait de faire) est de s'assurer que cet environnement est vraiment libéral, de telle sorte que des groupes a-libéraux comme, disons, les chrétiens fondamentalistes ou les amishs ou le hassidisme sont seulement tenus aux marges de la société et ne sont pas eux-mêmes persécutés ni réprimés. Mais il existe une autre manière de résoudre le dilemme, praticable dans les anciens empires multinationaux et dans certains des pays qui leur ont succédé : à savoir, de donner à chaque manière de vivre sa pleine extension sociale, de multiplier les États souverains et les républiques religieuses. Alors la diversité serait réalisée internationalement et, certaines « nations », mais pas toutes, seraient libérales.

Berlin est favorable à cette issue, au moins dans la mesure où il refuse de prescrire un modèle unique de société bonne universellement imitable, et incline à soutenir les efforts des groupes religieux et nationaux opprimés pour atteindre un mode d'indépendance ou, au moins, d'autonomie culturelle. Mais il rejette totalement le nettoyage ethnique, la persécution religieuse, les déplacements forcés de population et les guerres de frontière qu'une solution de type manière-de-vivre-unique/société-politique-unique ne manquerait pas d'entraîner. Sa vision morale des choses, telle que je la comprends, admet (mettons) une république islamique dans un pays comme l'Iran dont la population est, dans son immense majorité, musulmane (aussi longtemps que les minorités y sont tolérées), mais ses sympathies iront néanmoins aux citoyens de cette république qui luttent pour sa libéralisation. De façon similaire, il est sioniste mais s'oppose fermement aux prétentions politiques des juifs orthodoxes et des nationalistes de droite.

Alors, est-ce que la liberté prime sur la diversité ? Gray estime que la position de Berlin doit, ou devrait être, qu'elle ne prime que pour nous, ici et maintenant, étant donné les circonstances de la vie contemporaine. La liberté est une haute valeur, mais elle n'a pas un droit absolu au soutien des hommes et des femmes du monde entier et de tous les temps ; nous ne sommes pas libéraux pour toutes les saisons. Gray formule l'idée ainsi, en insistant sur un point évoqué par Berlin :

> Là où les valeurs libérales entrent en conflit avec d'autres valeurs dont l'existence dépend de structures sociales ou politiques et de formes de vie non libérales, et là où ces valeurs sont vraiment incommensurables, alors – si le pluralisme est vrai – il ne peut y avoir d'argument conférant une priorité universelle aux valeurs libérales.

Qu'en conclure quant au choix en faveur du libéralisme ? Bien qu'il prétende forger l'argument « le plus cohérent » avec les perspectives pluralistes de Berlin, Gray emploie en fait trois arguments différents. Le premier, que j'ai déjà discuté, est simplement une utile provocation ; le deuxième et le troisième reflètent bien, me semble-t-il, des aspects de la pensée de Berlin :

– « [...] la nature de notre rapport aux pratiques libérales est celle d'un engagement sans fondement. » Voici la provocation : ce n'est pas là ce que pense Gray, ni ce qu'il pense que Berlin pense, ni ce que dit (généralement) Berlin ;

– le fondement du libéralisme pour nous « doit [...] être trouvé dans une tradition culturelle particulière ou dans une forme de vie au sein de laquelle la dimension du choix est essentielle à la définition d'une vie bonne ». C'est en effet par là que « nous nous reconnaissons nous-mêmes [...] et que nous trou-

vons la conception que nous nous faisons de nous-mêmes reflétée comme en un miroir » ;
– il y a plus d'arguments pratiques pour une politique libérale, puisque la vérité du libéralisme, telle que Berlin l'a exposée, ne s'oppose pas à « des compromis raisonnables entre des biens conflictuels » ni à la prise en compte pragmatique des avantages de tel ou tel choix politique dans les situations que nous vivons. Ainsi Gray peut-il suggérer que « dans les circonstances historiques que nous connaissons aujourd'hui, il est sans doute vrai que les exigences universelles minimales de moralité ont le plus de chances d'être remplies sous des institutions libérales ».

Je crois que ces derniers arguments – appelons-les l'argument culturel et l'argument pragmatique – seraient tous deux acceptés par Berlin, même si je ne suis pas sûr qu'il les trouverait suffisants. Je note que la forme particulière que Gray donne de l'argument pragmatique le rapproche beaucoup du « libéralisme de la peur » défendu par la théoricienne politique américaine Judith Shklar, qui était une amie de Berlin. Le libéralisme de Shklar, certainement similaire à celui de Berlin, se nourrissait d'une connaissance profonde et d'une haine non moins profonde de toutes les formes d'oppression politique qui ont fleuri au cours de ce siècle terrible : la politique libérale était sa réplique défensive à ces oppressions. Berlin, cependant, semble quelquefois tenté par des arguments qui vont au-delà de la culture et du pragmatisme, et qui suggèrent que l'amour de la liberté ou le besoin de liberté sont inscrits dans la nature humaine, si bien que le libéralisme peut être désigné de façon autorisée comme le meilleur régime politique pour des êtres comme nous. Il n'est plus seulement alors un libéral pour de bonnes raisons mais – selon les termes d'un de ses autoportraits intellectuels – un « rationaliste libéral ». L'affirmation centrale de Gray est que le rationalisme libéral ne peut suivre jusqu'au bout l'exigence de valoriser le pluralisme et que Berlin, s'il a vraiment foi dans ses plus puissantes idées et s'il est un théoricien conséquent, doit se contenter d'arguments culturels et pragmatiques.

Cependant, cette affirmation, qui me semble juste de façon générale, est liée chez Gray à la décision de commencer par « l'idée maîtresse » (valoriser le pluralisme) pour démontrer ensuite que le libéralisme n'en découle pas logiquement. Or pourquoi devrions-nous commencer par là ? Souvenons-nous de ce que signifie le libéralisme pour Berlin : non seulement que les gens ont des visions très différentes, parfois incompatibles, parfois incommensurables, de ce qui a une valeur, mais qu'il y a effectivement des valeurs différentes, incommensurables et incompatibles. Certes, je connais un certain nombre de libéraux qui ne croient pas cela ; en un sens, le livre de Gray est écrit contre eux, dans le but de leur ôter tout appui possible dans l'œuvre de Berlin (plusieurs d'entre eux ont répondu avec vigueur, imitant le style hérissonien de Gray mais soutenant que l'idée maîtresse de Berlin est en fait la liberté[5]). Mais je ne connais personne qui croit en la valorisation du pluralisme et qui ne soit pas un libéral, de sensibilité autant que de conviction.

C'est encore là une de ces connexions informelles, de bon sens. Vous devez voir le monde d'une manière ouverte et généreuse pour comprendre un pluralisme du type de celui de Berlin, c'est-à-dire un pluralisme qui embrasse une grande variété de valeurs authentiques mais incommensurables. Et vous devez aussi avoir un regard sceptique sur le monde, puisqu'il y a des chances pour que ceux qui adhèrent à chacune de ces valeurs différentes les placent très haut sur une échelle construite précisément dans ce but. L'ouverture d'esprit, la générosité et le scepticisme sont, sinon des valeurs libérales, du moins des

5. Voir Steven Lukes dans le *Times Literary Supplement*, 10 février 1995, et Robert Wokler dans le *Times Higher Education Supplement*, 3 mars 1995.

qualités intellectuelles qui rendent possible l'acceptation de valeurs libérales (ou, mieux, qui font qu'il y a des chances pour que les valeurs libérales soient acceptées).

Mais s'il est légitime de valoriser le pluralisme, comme Gray le croit, et si seuls des hommes et des femmes ayant des idées libérales le reconnaissent, alors il se pourrait bien que le libéralisme ait un statut différent de celui des autres valeurs et modes de vie. Et comment pouvons-nous dire quoi que ce soit de ce statut si nous restons engagés dans la valorisation du pluralisme comme tel ? Si nous ne pouvons rien en dire, peut-être aurions-nous dû nous taire. La tension que Gray fait apparaître dans la pensée de Berlin ne peut être résolue. Son propre effort pour la résoudre en accordant le libéralisme aux « nombreuses choses » que savent les renards sert seulement à dénier l'une de ces choses, à savoir que le libéralisme peut ne pas convenir. Le livre de Gray constitue un exposé rigoureux et éclairant de la conception du monde de Berlin, mais son effort pour reconstruire cette vision et réconcilier ses différents aspects est en même temps une sorte de piège. Il va probablement plus près de la pensée de Berlin que personne d'autre avant lui, et pourtant, quand il referme son piège, Berlin n'est plus dedans. Le renard court toujours.

Pluralisme et social-démocratie

JE SOUHAITE aujourd'hui parler comme philosophe, mais un philosophe engagé dans les questions pratiques. Je ne suis pas l'avocat d'une politique particulière, mais je ne veux pas non plus rester au niveau de principes abstraits. Si la philosophie doit être engagée, il vaut mieux qu'elle soit philosophie politique plutôt que philosophie sur la politique. Que doivent faire les partisans d'une philosophie politique pratique ? Ils ont à analyser, critiquer, affiner et réviser les valeurs et les engagements de leurs contemporains, puis ils ont à décrire honnêtement les difficultés que ces valeurs et engagements rencontrent dans le monde d'aujourd'hui : la nature de l'opposition, les lieux de la lutte politique, les obstacles institutionnels, et les lignes directrices des réformes nécessaires.

Les engagements de la gauche aujourd'hui sont ce qu'ils ont toujours été. Nous ne sommes pas étourdis ; le sérieux a même été une de nos caractéristiques historiques, au point d'en être parfois un défaut. Aussi reconnaîtrez-vous facilement les trois points qui suivent comme étant les trois idées auxquelles la gauche adhère fondamentalement : produire des hommes et des femmes libres ; briser les cadres traditionnels hiérarchiques de subordination ; créer un monde commun de coopération.

Liberté, égalité, solidarité : notre compréhension de ces trois mots a changé au cours des années, comme je vais essayer de le montrer, mais l'engagement en leur faveur demeure. Permettez-moi de les examiner un à un.

Produire des hommes et des femmes libres

Cette liberté consiste en la capacité de choisir par eux-mêmes – leurs projets, leurs associations, leur travail dans le monde, leurs amis, amants et camarades. Cela veut dire que le monde doit être ouvert à cette liberté de choix (ce qui ne veut pas dire qu'ils obtiennent toujours ce qu'ils veulent) et aussi qu'ils possèdent la ressource intérieure qui permet de soutenir une vie de choix, de manière à ce qu'ils soient et demeurent des hommes et des femmes autonomes. Nos n'admirons pas (plus) ceux qui se font les agents d'une nécessité historique, les instruments d'un parti tout-puissant, les disciples d'un leader sectaire, les zélotes d'une cause idéologique ou religieuse. Pas plus cependant que nous n'acceptons l'illusion post-moderne d'une pure auto-création, la forme contemporaine d'égotisme intellectuel. Les êtres humains sont des créatures sociales, qui sont capables de liberté précisément parce qu'ils sont singuliers, avec des familles et des histoires singulières, parlant des langues singulières et vivant dans des cultures singulières. Ils sont façonnés, élevés, socialisés par d'autres, dans un temps et un espace spécifiques ; la personnalité et l'identité, la distinction et l'individualité sont progressivement acquises, avec l'aide des autres et aussi, souvent, en révolte contre eux.

Les projets des hommes et des femmes libres sont hérités au moins autant qu'ils sont inventés. « Vous n'êtes pas tenus d'achever le monde, dit un proverbe juif ancien, mais vous n'êtes pas non plus libres de l'abandonner. » En fait, bien entendu, vous êtes libres de l'abandonner, et ceci est une part importante de la signification de la liberté. Ce n'est pas toutefois le tout de ce que liberté signifie : en effet, si nous n'avions pas de projets d'une telle valeur, que nous sommes enclins à les imposer à nos enfants, la liberté de choisir (ou de refuser) serait pratiquement vide de sens, une idée triviale. Parce que nous pouvons imaginer des projets qui franchissent les générations – la création d'une société juste, par exemple, ou au moins la discussion sur ce qu'une société juste pourrait être – nous ne souscrivons pas à l'individualisme radical. La liberté de faire ce que l'on veut de sa propre vie, de son propre corps, de son temps et de son énergie, ou de son propre argent n'a jamais été évidente pour les gens de gauche. Contre l'orthodoxie religieuse et le conformisme social, l'exigence de libre choix, la défense de l'expérience et de l'innovation sont importants, légitimes et entraînants. Mais même les plus libres des hommes et des femmes expérimentent et innovent toujours sous un certain nombre de contraintes morales, qui dérivent du monde social qui constitue leur héritage et parfois aussi leur fardeau.

Ils héritent de projets et de justifications, qu'il reprennent à leur compte, enrichissent, révisent ou rejettent. Il y a plusieurs projets et justifications, et ce pluralisme rend les choix individuels possibles. Mais le pluralisme n'est pas le produit des choix individuels, sauf en un sens très particulier : il est le produit de la diversité des cultures, des groupes, des traditions, des partis et des mouvements portés à travers les générations par des hommes et des femmes qui reprennent volontairement la tâche engagée par leurs parents ou leurs prédécesseurs. Je suppose que nous devrions apprécier les individus hardis que leur libre-arbitre porte à refuser d'assumer cette tâche, qui rompent avec tous les groupes et choisissent ensuite parmi eux, ou parmi leurs « fragments », et ainsi se modèlent à la carte une identité individuelle : ils sont les héros du postmodernisme. Mais nous devons aussi reconnaître que ces figures héroïques dépendent radicalement de ceux qui se tiennent en retrait, et qui habitent ces groupes et les gardent en vie.

Une bonne part des groupes d'appartenance les plus importants sont, au sens sociologique, des associations involontaires : familles, nations, classes, religions et souvent même partis politiques. Nous ne décidons pas de les rejoindre (comme le montre l'une des rares découvertes fiables de la science politique : le meilleur indicateur d'affinité politique est l'affinité politique des parents). Nous décidons tout au plus d'y rester... ou pas. La solidarité est une expérience avant d'être un choix. Ce qui est crucial pour la liberté n'est pas que le choix arrive en premier, ce qui exigerait que tous les groupes sociaux se dissolvent et se reforment à chaque nouvelle génération. Ce qui est crucial est que, nés dans l'un ou l'autre de ces groupes, nous ayons la possibilité d'en sortir, et, lorsque nous en sommes sortis, de trouver d'autres possibilités d'association. Mais cette liberté d'aller et venir exige qu'il y ait un *quelque part* d'où l'on vient et où l'on va : elle exige un pluralisme authentique, que les individus s'engagent, s'empêtrent, s'investissent, se mobilisent dans une diversité de groupes. Ultimement, ce qui rend mon choix possible, c'est que d'autres avant moi *ont choisi* (ou sont simplement restés là où leurs parents les avaient conduits) et donc ont ainsi gardé vivant un mode de vie, une communauté que je peux rejoindre (ou quitter). Je ne peux être un aventurier politique ou un vagabond culturel si d'autres ne sont pas des sédentaires. L'engagement envers la liberté exige alors qu'on soutienne cette sédentarité, ou mieux, une diversité de sédentarités. Cela exige quelque résistance envers ce que j'ai nommé ailleurs[1] les quatre mobilités – sociale, géographique, familiale et politique – qui rompent la loyauté de classe, éclatent le voisinage, brisent les familles et entament profondément les appartenances et les engagements partisans.

---

1. *Cf. supra* p. 62 *et sqq.*

La mobilité est la marque d'une société libre, dont les membres sont des hommes et des femmes autonomes : ils se meuvent parmi les nombreux groupes et associations, par dessus les frontières ethniques, religieuses et idéologiques ; ils font de l'engagement une expérience. Mais s'ils se meuvent si vite et en si grand nombre que les groupes et associations ne peuvent plus avoir de vie propre, s'ils s'engagent si ponctuellement que l'expérience ne les marque pas, la liberté de se mouvoir et d'expérimenter deviendra de moins en moins significative. La liberté va s'autodétruire s'il n'y a pas un effort collectif pour en surmonter les effets : créer et recréer des résidences sociales stables – familles et communautés – qui produisent des individus forts et leurs fournissent des possibilités différentes, sérieuses et intéressantes.

Briser les cadres traditionnels hiérarchiques de subordination

Nous voulons créer une société dans laquelle les hommes et les femmes sont libres de la domination des bien-nés, des riches et des puissants. Cela ne veut pas dire qu'ils doivent être absolument tous égaux en statut, richesse, ou pouvoir. Cette égalité simple est la mauvaise utopie de la vieille gauche. Quiconque a vécu au XXe siècle, ou étudié son histoire, sait que le conflit politique et la lutte pour la suprématie recréent toujours des inégalités de pouvoir, que l'activité entrepreneuriale sécrète de l'inégalité économique, et que la communication sociale quotidienne – commérages, vantardises, admirations et jugements – forge sans cesse des inégalités de statut et de réputation. Rien de cela ne peut être évité à moins d'interventions tyranniques sans fin dans la vie ordinaire. Ce fut un crime historique, pour lequel nous avons payé assez cher, de permettre que le socialisme soit identifié à une tyrannie de cette espèce.

Trop de partisans de la vieille gauche font de l'égalité l'ennemie de la liberté et cette relation d'hostilité est devenue une maxime de base de la philosophie politique libérale. La maxime est partiellement vraie, mais ne l'est que partiellement : il y a une tendance naturelle à l'inégalité dans toutes les sphères de la production et de la distribution, et il y a de plus une tendance encore plus dangereuse à ce que les individus qui ont acquis une supériorité dans une sphère s'en servent à leur avantage dans toutes les autres. Ils utilisent leur richesse, par exemple, pour acquérir des fonctions ou une influence politiques, ou des places de choix pour leur enfants dans les universités d'élite, ou des soins de meilleure qualité que quiconque peut s'en procurer ; ou bien ils se servent de leurs fonctions politiques pour s'enrichir au détriment des citoyens qui recherchent leur appui, ou pour se procurer des avantages particuliers, ou à nouveau pour favoriser la carrière de leurs enfants. Ces tendances doivent être combattues ; la liberté qu'ils manifestent doit être contrainte. Mais cette contrainte ne sert pas que la seule égalité. Car la conversion d'un bien social en d'autres biens avec lesquels il n'a pas de connexion intrinsèque est en elle-même un acte de tyrannie. Ainsi, les interventions politiques qui ont pour but de prévenir ou de sanctionner de tels actes, et de maintenir l'autonomie des différentes formes de distribution, représentent aussi une défense de la liberté. La contrainte qui pèse sur quelques-uns est nécessaire à la liberté de la plupart.

Des interventions de cette sorte, qui limitent le domaine du pouvoir politique ou contraignent le règne de l'argent (de telle sorte que tous les biens sociaux ne soient pas à vendre) rend possible que des individus différents, possédant des compétences différentes, aux intérêts et ambitions différents, recherchent des biens différents, confiants que ces biens sont disponibles pour leur quête et peuvent être obtenus pour de « bonnes raisons », pour des raisons de nécessité ou de talent, ou d'intérêt, ou de succès. Tant que ces biens peuvent être obtenus par des voies différentes, les distributions finales ne seront pas déterminées par les formes classiques de la domination ou de l'usurpation. Les distributions installent au contraire un système d'« égalité complexe », ce qui veut dire des inégalités radicalement dispersées et non agrégées. Des individus différents seront inégaux de manière différente, mais ces inégalités ne se généralisent pas au delà des sphères : tous les biens sociaux n'aboutissent pas entre les mains des mêmes personnes. Idéalement, cela dessine une société libre de toute tyrannie sociale, où les individus ne sont en haut ou en bas que relativement à tel ou tel bien, et non absolument. Personne n'est dégradé ; personne n'est exalté ; l'arrogance d'un côté, la peur et la déférence de l'autre cessent d'être les émotions normales de l'interaction sociale.

Ce tableau est celui d'un idéal difficile à atteindre ; aucune société de la sorte n'existe actuellement. En fait, il y a des signes qu'après avoir connu une période où nous allions vers l'égalité complexe, nous sommes en train de nous en éloigner. Ou plutôt, que nous sommes parvenus à réaliser quelque chose comme l'égalité complexe (dans une version modeste) pour une partie de la population, disons les deux tiers les plus favorisés, bien que la position de nombre d'entre eux soit loin d'être assurée. Mais le dernier tiers est précipité de manière croissante dans l'expérience de l'exclusion radicale de toutes les sphères productives et distributives, sous la forme du chômage (en Europe), ou encore du sous-emploi ou de l'emploi dans le « second secteur » de l'économie, où les régulations gouvernementales sont rarement effectives, les assurances sociales et les pensions de retraite quasi inexistantes, et l'autodéfense collective virtuellement impossible (le modèle américain). Parmi les deux tiers les plus favorisés, les inégalités de pouvoir institutionnel, de richesse, de niveau de formation, de prestige et de loisirs sont plus ou moins relativement diversifiées, en comparaison avec des formations sociales antérieures. Là, les individus parviennent plus près des soins dont ils ont besoin, des emplois pour lesquels ils sont qualifiés, et des cursus scolaires qu'ils désirent et peuvent suivre, que leurs grands parents ou arrières grands parents ne l'ont pu : telle est le succès (limité) de la politique de gauche. Dans le troisième tiers de la population, cependant, l'exclusion de tous ces biens, ou un accès très restreint à ceux-ci, produit une inégalité renforcée dont il ne semble pas y avoir de moyen de sortir.

La gauche aujourd'hui se compose de nombreux membres de la première partie de la population, qui vivent dans des situations sociales plus ou moins justes et se regroupent en associations qui défendent ces situations – et trouvent cette défense sans cesse plus difficile. En même temps, la gauche est, ou devrait être, investie auprès des exclus de la seconde partie de la population. En pratique, cela veut dire que tous les mouvements ou partis de gauche sont divisés au sein d'eux-mêmes entre ceux qui ont déjà bénéficié des politiques égalitaires et ceux qui n'en ont bénéficié qu'au minimum ou pas du tout. La peur de disparaître du premier groupe, le ressentiment et la colère d'être tombé dans le second groupe rend de nombreux individus enclins à une forme familière de populisme qui prend volontiers des formes droitières, chauvines et fondamentalistes. Comme nous avons l'habitude de le dire, ces gens sont « objectivement » de gauche, car c'est là que leurs intérêts présumés se trouvent, mais en fait sont souvent mobilisés ailleurs.

En raison des transformations technologiques et de la mondialisation économique, et aussi en raison d'une campagne agressive en faveur de l'idéologie du « laisser faire[2] » et du règne du marché, de plus en plus de gens dans les pays avancés de l'Ouest sont aujourd'hui en danger de glisser de la première partie de la population dans la seconde. Et pour les mêmes raisons l'intégration sociale et économique de la seconde partie

2. En français dans le texte.

est de plus en plus problématique. Je ne vais pas chercher à trier parmi les causes de ces dangers et les problèmes, mais je veux juste remarquer qu'ils n'ont pas nécessairement un caractère impersonnel ou déterminé par l'histoire mondiale ; certains d'entre eux, au moins, sont locaux, volontaires et politiques. Ils ont à voir avec l'auto-renforcement de quelques uns et l'affaiblissement de la plupart. Ils ont a voir avec le déclin des partis et des mouvements de gauche. Ils ont à voir avec l'impérialisme du marché et l'échec d'une défense des distributions autonomes dans les champs de la politique, de l'éducation, de la solidarité sociale, de la santé, etc.

Dans la mesure où ces derniers points sont vrais, il y des remèdes locaux possibles même s'ils ne paraissent pas de nature à suffire pour régler le problème. Ils sont la tâche des mouvements et des partis de gauche qui veulent s'opposer au pouvoir de l'argent en politique ; ou des syndicats défendant les intérêts de leurs adhérents sur le marché du travail ; ou des enseignants faisant valoir l'indépendance de leurs écoles, refusant de se mettre au service d'une cause politique, préoccupés par les enfants en difficulté ; ou des professionnels de la santé cherchant à aider les plus vulnérables de leurs patients ; ou des travailleurs sociaux qui ne veulent pas vivre « sur le front » ou assigner les individus qu'ils assistent à la discipline du marché.

Mais tout ceci ne peut suffire à intégrer le nombre croissant d'exclus. En fin de compte, ils ont aussi à s'intégrer eux-mêmes, et cette auto-prise en charge dépend du caractère inclusif de la citoyenneté et du soutien de la communauté politique dans son ensemble.

Créer un monde commun de coopération

La solidarité des citoyens (la « fraternité » de la Révolution française, élargie désormais de manière égale aux hommes comme aux femmes) est une affaire compliquée. La solidarité peut être dangereuse si elle n'est qu'un sentiment, un substitut émotionnel à la coopération plutôt que le reflet d'une coopération effective, de fond, qui se développe jour après jour. Le sens de la proximité avec d'autres doit être gagné – par le combat commun ou le travail commun en faveur d'une cause ; par la réponse commune à des difficultés, des crises ou des catastrophes naturelles ; par l'étude d'une littérature et d'une histoire communes ; par la célébration des fêtes qui ordonnent les rituels d'une vie commune. Dans le monde moderne, toutefois, rien de tout cela ne peut faire l'objet d'une expérience collective uniforme et tout effort pour aller dans ce sens est inauthentique. Le mélange de groupes de cultures et d'histoires est une figure inévitable de toutes les sociétés « avancées » (et d'autant plus qu'elles « avancent » encore). La proximité aujourd'hui ne peut venir que d'un succession d'expériences réitérées, différentes pour des individus et des groupes différents, mais liées entre elles et se chevauchant – de telle sorte que je combats, travaille, étudie ou célèbre dans une variété de situations sociales, avec une variété (changeante) d'hommes et de femmes. Le chauvinisme national et ethnique est une réaction prévisible à ces engagements différenciés vis-à-vis des autres ; il signifie une exigence radicale de simplification et d'homogénéisation dans un monde qui ne sera plus simple et homogène. Mais la citoyenneté, proprement comprise, peut inclure des différences, et la justice sociale est respectée seulement si elle le fait.

Les gens font l'expérience de la solidarité séparément et différemment. Ce n'est pas un paradoxe, mais un simple fait de la vie moderne. Je serais d'ailleurs prêt à croire qu'il s'agit d'un fait caractéristique de la vie sociale en général, en tout temps et en tout lieu, mais qui est mis en avant par les multiples processus de différenciation qui sont à l'œuvre dans notre époque. Nous apprenons à être citoyens dans bien des structures différentes : associations de voisinage, églises, syndicats, groupes professionnels, partis et mouvements, sociétés mutualistes, etc. Plus notre participation dans ces ensembles est importante, plus nous sommes susceptibles d'être engagés comme citoyens vis-à-vis de la communauté dans son ensemble. La solidarité doit avoir ses lieux locaux et singuliers ; elle se construit par en bas. Les efforts pour commencer par en haut, les campagnes gouvernementales pour la russification ou l'américanisation, par exemple, ou les campagnes populistes contre les immigrés et les influences étrangères reflètent un manque de foi dans la construction démocratique d'une vie commune. Ils induisent une fausse solidarité, qui ne sera pas capable d'accomplir ses fonctions morales et politiques.

La pierre de touche de la solidarité, la marque d'une monde commun de coopération, est l'assistance mutuelle – la reconnaissance que nos concitoyens sont tous des hommes et des femmes envers lesquels nous avons des obligations par la seule vertu de notre commune sociabilité. C'est aussi pourquoi il est si important que cette sociabilité soit concrètement mise en œuvre, de telle manière que nous soyons effectivement engagés les uns vis-à-vis des autres – non pas tous vis-à-vis de tous (car un tel engagement ne serait pas réaliste), mais quelques-uns vis-à-vis de quelques-uns, dans une grande variété d'associations et d'activités. L'assistance mutuelle est l'une de ces activités, coexistant avec les autres et trouvant en elles le motif de son obligation. L'État solidaire ne fonctionnera jamais bien et ne pourra pas se maintenir dans ces temps difficiles de restrictions budgétaires, s'il ne repose pas sur une société solidaire, si le travail des fonctionnaires et des travailleurs sociaux professionnels n'est pas relayé par celui d'amateurs, de voisins, de bénévoles qui sont simplement des concitoyens. Les hommes et les femmes en situation d'exclusion doivent être inclus dans cette société solidaire, aidés à s'aider eux-mêmes de toutes les manières concrètes possibles, au niveau le plus local, avant de pouvoir pleinement s'inscrire dans le mouvement plus large de la société tout entière, dans les différentes sphères de la production et de la distribution.

*

Je viens d'esquisser une démonstration de la nécessité du pluralisme – si l'on opte pour la liberté, l'égalité et la solidarité. Le pluralisme qu'implique la liberté est celui des traditions ethniques, culturelles et religieuses et des groupes d'hommes et de femmes qui les soutiennent. Sans ces traditions et ces groupes, nous ne pourrions jamais acquérir l'étoffe minimale (ou l'identité, la personnalité, la vision du monde) qui permet des choix cohérents.

Le pluralisme qu'implique l'égalité est celui des biens sociaux différents et des sphères autonomes au sein desquelles ils sont produits et distribués, ainsi que celui des hommes et des femmes qui y sont associés – travailleurs, enseignants, médecins, clercs, journalistes, fonctionnaires etc. – qui travaillent au sein de ces sphères et défendent leur autonomie. Sans cette défense, les biens les plus importants seraient accaparés par un petit nombre de gens, les plus fortunés, les plus puissants ou les biens-nés (ou ce qui devient de plus en plus probable, les plus qualifiés) soit des groupes différents selon les lieux et les temps, mais semblables par leur caractère exceptionnel et par leur avidité de domination.

Le pluralisme qu'implique la solidarité est constitué par l'ensemble des groupes et associations où les gens se rassemblent pour soutenir un mode de vie, encourager une conception de la justice ou défendre un ensemble d'intérêts. Si pour chaque individu il n'y avait qu'une association et une seule, la solidarité serait une solidarité de clocher, limitée, et les conflits entre les groupes seraient intenses, sans fin et souvent implacables. C'est une grande erreur des protagonistes des « politiques identitaires » de défendre ce type de singularité. En fait, l'ethnicité, la religion, la profession, le travail et la résidence procurent des identités multiples – dont certaines sont elles-mêmes divisées et ambiguës car elles résultent de l'immigration, des mariages mixtes, des diverses activités professionnelles des deux conjoints dans une famille, de la mobilité sociale, etc. Mais toutes ces identités multiples et divisées sont encloses dans les frontières de la citoyenneté. Si la singularité est impossible, la rencontre commune ne l'est pas. Les activistes des différents groupes doivent compter les uns avec les autres, non comme étrangers mutuels, mais bien comme concitoyens dont les préoccupations sont similaires, ou du moins reliées les unes aux autres et interfèrent partiellement.

La politique est l'art de mettre dans une forme cohérente ces ajustements enchevêtrés. Sans aucun doute, cela est plus difficile dans des sociétés extrêmement différenciées. En même temps, la multiplication de ces différences conduit de plus en plus de monde à entrer dans la vie politique, multipliant aussi les lieux et structures des activités de coopération. Plus il y a de sites et de structures, plus il y a de points d'entrée, plus les associations où les cultures sont en acte et les valeurs soutenues, plus il y a d'occasions pour la défense collective des intérêts, plus il y a de gens engagés – plus la société sera libre et égalitaire. Je ne parle pas de la liberté d'individus auto-fondés de faire ce qui leur plaît ; pas plus que je n'évoque la possession égale de tous les biens sociaux par tous les hommes et les femmes de cette société. Ce ne sont pas là des perspectives réalistes, encore moins des utopies désirables. Je décris à la fois la liberté et l'égalité dans des formes complexes et socialisées, et je soutiens qu'elles peuvent réellement émerger de manière cohérente d'un pluralisme à touts les niveaux.

*

Avec toutefois une petite aide de l'État. La social-démocratie fut pendant trop longtemps seulement identifiée à l'État et au projet de s'emparer du pouvoir d'État. Mais comme pratique politique, elle doit commencer, comme j'ai commencé ici, par les multiples associations de la société civile – ce qui inclut, entre autres, les syndicats, partis, tendances, comités éditoriaux et organisations de jeunesse de la social-démocratie elle-même. Depuis la charge de Roberto Michels contre « la loi d'airain de l'oligarchie », ces structures ont rarement fait l'objet d'une réflexion théorique. Pourtant ce qu'implique la social-démocratie, c'est... la démocratisation de la société. Les tendances oligarchiques dans telle ou telle organisation dressent des embûches pour la réalisation de ce projet, mais ne le rendent pas impossible. La pluralité des associations (il y a près de 200 000 associations volontaires aux États-Unis), la possibilité pour les gens de « voter avec leurs pieds », les rébellions et réformes institutionnelles intermittentes qui font toujours de l'oligarchie un arrangement instable – tout ceci suggère que la démocratie dans la société n'exige pas que chaque groupe procède à des élections libres. En fait, nous sommes parfois satisfaits de trouver au pouvoir des directions plus ou moins permanentes : nous n'avons tout simplement pas de temps à consacrer aux réunions qu'une plus grande démocratie exigerait. Mais nous avons besoin de quelque recours ultime contre la tyrannie sociale. Et ce recours, l'État démocratique doit le fournir.

Des exemples de tyrannie sociale peuvent être trouvés dans presque tous les groupes qui composent la société civile. L'une des tâches principales de la critique sociale est de leur donner leur vrai nom, de qualifier ceci de tyrannie – lorsque des associations culturelles ou religieuses perpétuent des pratiques traditionnelles d'oppression (le refus de permettre aux femmes d'accéder à un niveau d'éducation scolaire convenable, par exemple) ; ou bien lorsque les hommes et les femmes qui contrôlent l'État ou le marché dominent toutes les autres sphères de distribution ; ou encore lorsque tous les groupes ou les plus forts d'entre eux, adoptent des politiques d'exclusion, refusant l'accès aux services de la vie quotidienne aux immigrés, aux Noirs, aux juifs, ou à quelque ensemble stéréotypé d'« autres », ainsi dégradés.

Dans tous ces cas, le pouvoir d'État est l'instrument nécessaire de la justice. Il doit être mis en jeu avec beaucoup de précautions, car c'est un pouvoir radicalement disproportionné à l'égard des différents groupes qui co-existent dans la société civile, et de ce fait dangereux. Aussi ne doit-il être employé qu'en réponse aux appels contre l'oppression et aux exigences de justice qui viennent de la société elle-même, et seulement pour s'associer aux efforts des opprimés eux-mêmes ou pour les soutenir. Mais il faut l'employer. C'est la raison d'être de l'État. Et pour servir ce projet, l'État se doit d'être plus totalement inclusif et démocratique que tous les groupes dont il régule les activités. Ses citoyens doivent être citoyens au sens plein du terme : éduqués politiquement, compétents et informés ; ils doivent jouir de l'ensemble des droits civils et des libertés ; et ce qui est le plus important, ils doivent être organisés dans la plus grande variété possible de partis, syndicats, mouvements, cercles, écoles, groupes, etc.

L'État régule la société civile, mais il est lui-même constitué en État démocratique par la société civile qu'il régule. La singularité de la communauté politique universelle exige le particularisme de la vie associative ; les associations exigent le cadre politique du pouvoir d'État. L'un dépend du multiple, et le multiple de l'un. Ceci n'est pas un cercle vicieux. C'est la structure profonde de la politique démocratique elle-même.

Il n'est pas facile de dire ce que l'État devrait faire pour soutenir cette structure aujourd'hui, dans le contexte d'une économie qui se mondialise rapidement, et dont les acteurs prétendent que le pouvoir d'État est un anachronisme. Mais je veux seulement souligner un point qui me semble capital pour toute défense de gauche du pluralisme. Tous les groupes que j'ai évoqué, dont nous dépendons pour la liberté individuelle, l'égalité complexe et la coopération sociale sont aujourd'hui menacés par l'hégémonie du marché.

Les communautés de culture, d'histoire et de foi qui fournissent à l'individu une personnalité et leur première expérience de la solidarité sont aujourd'hui plus faibles qu'elle n'ont jamais été. Les carrières qu'elles proposent, par exemple au prêtre de paroisse, ou au secrétaire de syndicat, ou au rédacteur en chef d'une revue partisane, exigent de l'idéalisme moral, mais aucune ambition économique. La discipline qu'elles requièrent est incompatible avec les formes contemporaines de mobilité sociale. Les histoires qu'elles racontent sont moins immédiatement passionnantes que celles d'une culture de masse toujours plus commercialisée. Et dans une société radicalement individualiste gouvernée par les forces du marché, l'ambition économique, la mobilité sociale et la culture de masse gagnent sans cesse du terrain.

Dans toutes les sphères de la distribution les groupes qui défendent des critères internes, les soins pour les malades, le logement pour les sans domicile, l'éducation pour tous les enfants capables d'apprendre sont constamment défiés par la théorie et la pratique (les deux étant conjugués d'une manière qui devrait rendre la gauche jalouse) des prix du marché et des marges de profit. Mais le marché est incapable de venir en aide au nombre croissant d'exclus ; il ne leur fournira pas d'emplois ni ne souscrira à l'autonomie de sphères d'activités non marchandes.

Les services de solidarité qui émergent au sein de la société civile, les formes d'aide mutuelle financées par les Églises, les syndicats et les organisations d'entraide sont aussi en difficulté : elles ont dépendu pendant longtemps autant de financements d'État que de contributions volontaires de temps ou d'argent (aux États-Unis, plus de 50 % de l'argent dépensé par les organisations religieuses pour des services d'entraide proviennent de fonds publics) et les fonctionnaires sont soumis à une pression croissante pour se convertir à des formes de prévention sociale privées et génératrices de profit. En outre, ces formes de solidarité s'exercent au mieux en faveur de ceux qui s'en sortent, vivant à côté d'un nombre croissant d'hommes et de femmes effectivement privés de tout sauf des services minimaux, fournis par des fonctionnaires sous-payés ou des bénévoles épuisés, toujours à court de moyens.

Tout ceci est sans doute plus visible aux États-Unis qu'en Europe, mais c'est la tendance générale pour tous nos pays. Et il n'y a pas d'autre moyen d'échapper à cette tendance que d'invoquer la solidarité des citoyens et d'utiliser le pouvoir d'État pour prélever et redistribuer l'argent.

La social-démocratie dépend de la vitalité de la vie associative. Mais les modes d'association que nous prisons le plus sont rarement économiquement performantes. Les dotations qu'elles offrent sont coûteuses ; l'autonomie qu'elles proposent est menacée par le marché ; les services qu'elles organisent ne dégagent pas de profit mesurable. Elles survivront de toute manière, car elles répondent à des besoins humains profonds. Mais elles ne pourront guère se développer, amener davantage de gens à une participation quotidienne, aider les exclus à s'aider eux-mêmes, tant qu'il n'y aura pas de décision politique en leur faveur, tant que l'État universel ne scellera pas une alliance avec la particularité et la différence. La société civile – nous le savons depuis Hegel – est le domaine de la fragmentation. Mais elle fournit aussi ou peut fournir à l'aide d'un soutien politique, les conditions nécessaires à l'exercice de la liberté, de l'égalité et de la solidarité.

Communauté, citoyenneté et jouissance des droits

POUR ÉCLAIRCIR les débats qui touchent au communautarisme et au libéralisme, qui sont très fréquents aux États-Unis et rencontrent des échos en Europe, il est indispensable au préalable de parler de la citoyenneté et de décrire ses formes « communautariennes » et libérales, pour lesquelles j'éprouve un mélange de sympathie et de distance critique. Je commencerai par revenir sur leur histoire, parce que celle-ci n'est pas dépourvue, me semble-t-il, d'intérêt pour l'époque actuelle.

Un citoyen est, dans sa définition la plus simple, le membre d'une communauté politique, jouissant des prérogatives et assumant les responsabilités attachées à cette appartenance. Le mot nous vient du latin *civis* ; nous tenons de l'équivalent grec le mot de « politique », ce qui veut dire, selon une certaine conception de celle-ci, activité attendue des citoyens. Mais nous avons hérité des Grecs et des Romains davantage qu'un simple vocabulaire. Ce qu'on peut appeler l'idéologie de la citoyenneté, ainsi que sa version communautarienne moderne, est essentiellement une interprétation moderne tardive du républicanisme grec et romain, et l'actuelle compréhension libérale du concept a sa source dans la Rome tardive de l'Empire et dans les réflexions modernes sur le droit romain.

Nous pouvons saisir cette idéologie *in medias res,* non pas, pour le moment, à ses origines ou dans son histoire intellectuelle antique, pas davantage dans son déclin ultérieur ni dans ses réveils intermittents, mais au sommet de sa vigueur : pendant la Révolution française. Celle-ci est particulièrement importante dans la mesure où le républicanisme civique – version de gauche du communautarisme – y est entouré d'une certaine aura d'enthousiasme pur. Dans sa phase jacobine, la Révolution est comprise comme un effort pour établir la citoyenneté comme l'identité dominante de tout Français – par opposition aux identités alternatives qu'elles soient confessionnelle, professionnelle, familiale ou régionale. La citoyenneté devait remplacer la foi religieuse et la fidélité familiale comme motif central de la conduite vertueuse. En effet, citoyenneté, vertu et esprit public étaient des idées étroitement liées, suggérant un engagement rigoureux et individuel dans l'activité politique (et militaire) en faveur de la communauté. L'activité était cruciale : rassemblements, discours, service public ; cela renvoyait à une conception emphatiquement positive du rôle de citoyen. Dans l'idéologie jacobine, la citoyenneté était un devoir universel ; chacun devait servir la communauté. Ainsi la *levée en masse*[1] de 1793 va bien au-delà des lois de conscription ultérieures, bien qu'elle ait quelque chose de commun avec l'idée contemporaine de « service national », part importante du programme communautaire aux États-Unis ; la *levée* de 1793 enrôlait littéralement chaque personne, assignant des tâches aux hommes et femmes de tous âges.

1. Les mots en italique indiquent l'utilisation du français dans le texte original (NDT).

La République, Rome et la Révolution

L'inspiration de tout cela était classique, au sens où elle dérivait de la lecture d'Aristote, Plutarque, Tacite, etc. Mais cette idéologie est clairement une production néo-classique, des débuts de la modernité. Machiavel, Harrington, Montesquieu et Mably en sont les théoriciens clés, mais c'est Rousseau (et plus tard Kant) qui donne à la citoyenneté ses fondements philosophiques modernes, la reliant à la théorie de la participation volontaire. Le citoyen, dans le *Contrat social,* est l'individu libre et autonome, qui élabore ou prend part à l'élaboration de la loi à laquelle il obéit : « L'obéissance à la loi qu'on s'est prescrite est liberté[2]. » Seul le citoyen activiste, qui « vote aux assemblées publiques », peut être à la fois libre et moral (au sens d'une rectitude, plutôt que d'une bonté naturelle).

Pour Rousseau comme pour les théoriciens communautariens d'aujourd'hui (les républicains civiques), les républiques ne peuvent fonctionner que si chaque citoyen trouve la plus grande proportion de son bonheur dans l'activité publique plutôt que dans la sphère privée. Car la recherche du bonheur renforcera les structures de la responsabilité civique. Dans le monde bourgeois en expansion du XVIIIe siècle, cependant, l'activité privée – surtout dans les domaines du marché et de la famille – était une source plus probable de bonheur. La richesse et l'affection, plutôt que le pouvoir et la gloire, apparaissaient à la plupart des hommes et des femmes comme des buts plus réalistes, peut-être aussi plus désirables. Et certains d'entre eux, au moins, parvenaient effectivement à accumuler des richesses et à gagner l'affection des autres – non pas comme citoyens au sens voulu par Rousseau, mais comme entrepreneurs, amants, parents, membres de la société civile plutôt que de la société politique. Mais alors, la société civile devenait

2. Jean-Jacques Rousseau, *Du contrat social,* livre I, chapitre VIII.

une menace pour la République, car elle tirait ses membres hors de la politique : désormais, ils volaient vers leur foyer plutôt que vers les assemblées. Il s'ensuivait que la citoyenneté et la vertu requéraient soit la répression de la société civile, soit la réduction de son étendue et de son attrait. Ce projet est déjà implicite dans la théorie de Rousseau ; la politique jacobine le rend explicite.

« Les révolutionnaires doivent être des Romains[3] », déclara Saint-Just. Ils doivent être citoyens dans le style de la république classique. Mais cela demanderait ce que Marx, à propos de la Terreur jacobine de 1793, appela le « sacrifice » des valeurs bourgeoises – industrie, compétition, intérêt privé et souci de soi. De fait, l'État révolutionnaire peut imposer ces sacrifices ; il peut « abolir » l'exubérance et la diversité de la société civile, mais « seulement de la façon dont il abolit la propriété privée par [...] la confiscation [...] ou seulement de la manière dont il abolit la vie par la guillotine[4] ». Il n'y a pas d'autre route pour revenir à la citoyenneté grecque ou romaine que la route de la coercition et de la terreur, parce que la société civile moderne n'engendre pas des citoyens mais plutôt, dans le jargon philosophique de Marx, « une individualité naturelle et spirituelle auto-aliénée[5] » – des hommes et des femmes qui ont besoin de se représenter occasionnellement comme des citoyens mais dont l'activité quotidienne est régie par les impératifs du marché. Le jacobinisme tente de faire exister une autonomie inauthentique, et il échoue car il ne peut le faire sans employer une violence continue.

Cet échec à établir la vie politique comme la « vraie vie » des hommes et des femmes ordinaires apparaît très tôt dans l'histoire moderne, et n'est pas nécessairement définitif. Mais

3. Saint-Just, *Discours et rapports*, Paris, Éd. Sociales, 1957, p. 197.
4. Karl Marx, *la Question juive*, Paris, Aubier-Montaigne.
5. Karl Marx, *la Sainte Famille*, Messidor-Éd. Sociales.

il nous incite à porter notre regard plus loin dans le passé, à regarder derrière le républicanisme néo-classique, en quelque sorte, pour étudier ses modèles antiques, plus authentiques. Qu'est-ce (ou qu'était-ce) alors que la citoyenneté ? Cette question est très disputée parmi les spécialistes actuels de la Grèce et de Rome, mais il est de plus en plus clair qu'un certain scepticisme s'impose face aux visions idéalisées de l'esprit public et de la participation politique dans les républiques antiques. Là aussi, la citoyenneté était prise dans une tension avec la famille, la religion et l'intérêt économique privé, là aussi les citoyens étaient souvent tournés vers eux-mêmes et indifférents à la chose publique. Mais la cité-État constituait une société beaucoup moins complexe et différenciée que nos sociétés. Et pour beaucoup de ses citoyens mâles, la cité en elle-même, la communauté politique était bel et bien le point focal de leur vie quotidienne. Ils pouvaient effectivement trouver sur ses places publiques, dans ses cours et ses assemblées la plus grande part de leur bonheur.

Le degré minime de différenciation sociale est ici crucial. La citoyenneté dans l'Athènes de Périclès, par exemple, était doublement « endogame » : elle n'était conférée qu'à ceux dont le père et la mère étaient tous deux citoyens. Le corps politique était ainsi quelque chose comme une famille élargie, une tribu urbaine. Socrate pouvait représenter de façon plausible la Cité et ses lois comme les parents des citoyens.

> Nous vous avons mis au monde, fait-il dire aux Lois, nous avons pris soin de vous et veillé à votre éducation, nous vous avons donné, à vous et à tous vos compagnons, une part de tous les biens dont nous disposions[6].

La religion commune était une religion civile (telle que Rousseau l'a comprise), fournissant à la Cité des dieux locaux et un mythe d'origine. L'idée d'une foi privée était inconnue ; les

---

6. Platon, *Criton*, 51c.

rituels religieux étaient accomplis par des prêtres publics dans des temples publics. Bien qu'Athènes fût un centre impérial et possédât une population significative d'étrangers résidents et d'esclaves étrangers, le sentiment du lieu et l'attachement à la patrie étaient forts chez les citoyens. Précisément en raison de la présence d'étrangers et d'esclaves, les divisions de classe entre les citoyens libres et « autochtones », bien qu'elles fussent assez visibles, n'étaient jamais absolues et ne revêtaient pas une forme légale ; dans l'assemblée, chacun était l'égal de tout autre. Tout cela, visant à réaliser l'unité morale de la Cité, élevait la citoyenneté à un niveau qui lui assurait le primat sur les autres identités. Mais ce primat était lié à la faible différenciation et à l'« exclusivité » de cette forme de citoyenneté.

La citoyenneté antique était l'expérience de ce primat, non pas à l'occasion mais chaque jour, dans le débat politique, la participation aux jurys et conseils, le service militaire et le culte commun. La chose la plus importante de toutes était peut-être la rotation des citoyens aux principales magistratures. Aristote définissait la citoyenneté en termes d'éligibilité pour les fonctions politiques (comme nous pourrions la définir par le vote) :

> Le citoyen au sens strict est mieux défini [...] [comme] un homme qui prend part à l'administration de la justice et à l'accomplissement des fonctions politiques[7].

Quand il continue en décrivant les citoyens démocratiques comme des hommes qui gouvernent et sont gouvernés tour à tour, il ne se réfère pas à la fonction législative – faire des lois puis leur obéir –, mais plutôt à la fonction exécutive – assurer une charge publique puis se soumettre à ceux qui l'assurent. Là encore, le style et l'échelle de la communauté jouent un rôle crucial. Les citoyens pouvaient se connaître les uns les

---

7. Aristote, *Politique,* 1257 a.

autres (ou au moins avoir entendu parler les uns des autres), et ainsi ils étaient prêts à se faire confiance pour les offices publics, acceptant même que certains choix particuliers s'effectuent par tirage au sort (à Athènes, seuls les généraux et les physiciens publics, dont les fonctions requerraient des compétences spécifiques, étaient élus) – forte expression de proximité communautaire et d'unité morale.

Quand l'échelle change, la proximité disparaît, l'unité et la confiance s'effondrent, et une compréhension différente de la citoyenneté est requise. C'est dans la société bourgeoise moderne que la nécessité de cette mutation est peut-être la plus visible, mais elle était déjà sensible dans l'Empire romain : elle est le produit du caractère inclusif de l'empire. L'expansion de Rome s'est accompagnée de l'octroi de la citoyenneté aux peuples qu'elle conquérait – au début, seulement à certains et par degrés ; puis, en l'an 212, par l'édit de Caracalla, à tous les sujets de l'Empire à l'exception des classes les plus basses (rurales, essentiellement). Cette extension ne transforma pas la définition formelle de la citoyenneté, toujours exprimée en termes d'accès à des magistratures publiques, mais elle altéra les réalités politiques et juridiques. Quand saint Paul se déclarait citoyen romain, il ne s'imaginait pas comme un membre actif et impliqué dans la communauté politique, certainement pas non plus comme un magistrat potentiel, mais plutôt comme le détenteur passif de titres et de droits spécifiques[8]. Un citoyen était plus profondément un homme protégé par la loi que quelqu'un qui prenait part à son élaboration et à son exécution. D'après cette vision, la citoyenneté était relativement facile à étendre à une population vaste et hétérogène dont les membres ne se connaissaient pas et n'avaient ni histoire ni culture commune. Par là, le corps politique des citoyens romains incluait des gens ethniquement différents des Romains d'origine,

---

8. *Actes* 23, 27.

des hommes et des femmes d'autres religions, avec des conceptions différentes de la vie politique, qui vivaient de manière différente, etc. La citoyenneté, pour ces gens, était une identité importante mais occasionnelle, un statut juridique plutôt qu'un fait de la vie quotidienne.

Les choses restèrent à peu près dans cet état durant la période féodale, où le statut juridique lui-même n'avait qu'une existence formelle, remplacée dans les relations sociales effectives par des identités de droit privé telles que serf, vilain, vassal, seigneur, etc. La construction des États modernes, cherchant à imposer l'autorité royale à des populations diverses et hétérogènes, fit retour au modèle romain (impérial). Jean Bodin, le grand juriste du XVIe siècle, et l'un des premiers théoriciens de la souveraineté, avait à l'esprit l'expérience romaine lorsqu'il définit le citoyen comme « une personne jouissant de la liberté commune et de la protection de l'autorité ». « Jouir de » peut signifier « prendre plaisir à », mais je pense que c'est une relation entièrement passive que Bodin entendait décrire. Selon cette conception, le citoyen n'est pas lui-même une autorité ; il est plutôt quelqu'un que les autorités s'engagent à protéger. Cet engagement, pour autant qu'il est sérieux, exclut l'usage arbitraire du pouvoir politique ; il rend ainsi possible le genre de liberté qui sera la plus valorisée par les libéraux ultérieurs, quelquefois appelée la « liberté négative » – la liberté de la vie privée et du choix individuel.

*

Le libéralisme moderne représente un effort pour étendre l'engagement bodinien.

> La liberté politique, écrit Montesquieu, consiste dans la sécurité ou [...] dans l'opinion que nous jouissons de la sécurité[9].

9. Montesquieu, *l'Esprit des lois,* XII, 2.

Avoir part à la « liberté commune » revient à être protégé contre différentes sortes de dangers – qu'ils viennent d'autres citoyens ou des autorités elles-mêmes. Il s'agit d'être en sécurité quant à sa vie physique (Hobbes), dans sa famille ou chez soi (Bodin et Montesquieu) ou concernant sa conscience et sa propriété (Locke). Mais cette recherche de protection suppose le primat de ce qui est protégé, à savoir le monde privé ou familial. C'est là que les hommes et les femmes trouvent la plus grande part de leur bonheur ; ils « jouissent » de la protection mais ils trouvent leur plaisir ailleurs. Ils ne sont pas des personnes « politiques » ; ils ont d'autres intérêts, dans la religion, les affaires, l'amour, l'art, la littérature. Pour eux, la communauté politique n'est qu'un cadre nécessaire, un ensemble d'arrangements externes, pas une vie commune.

La citoyenneté comme protection domine toujours le droit contemporain. Les citoyens sont distingués des étrangers par la protection supplémentaire à laquelle ils ont droit (quelquefois aussi par l'obligation supplémentaire du service militaire), non par leur droit à occuper des charges publiques. Dans les États démocratiques, bien sûr, le vote fait partie du titre de citoyen, mais la politique a une place nettement moins centrale que dans le modèle antique. Ainsi, pour la langue anglaise, le *Dictionnaire international Webster* fournit la définition suivante de la citoyenneté :

> Un citoyen comme tel a droit à la protection de sa vie, de sa liberté, de ses biens, aussi bien chez lui qu'à l'étranger, mais il n'est pas nécessairement doté du suffrage ou d'autres droits politiques.

Le radicalisme jacobin représentait une révolte totale contre la version moderne primitive de cette citoyenneté passive – une réaffirmation des valeurs républicaines contre les prétentions de l'État monarchique ou libéral. Mais ce fut une réaffirmation idéologique et une révolte ratée parce que les intellectuels jacobins ne prirent jamais la mesure de leur propre société. La France n'était pas une cité-État. Territorialement vaste (pour les critères de l'époque), hétérogène et divisée, le pays ne fournissait pas une base sociale appropriée pour une citoyenneté activiste. Pourtant, le républicanisme politique a survécu à l'expérience jacobine, comme il avait survécu à la chute des cités antiques ; il a eu une longue « vie-après-la mort », et aujourd'hui, pour beaucoup de « républicains civiques » et de communautariens, il évoque toujours une alternative, en partie praticable, en partie utopique, à l'existence largement apolitique des citoyens modernes – et ravivée chaque fois que des difficultés apparaissent dans le domaine privé.

Retrouver une citoyenneté active

Les constructions dualistes ne sont jamais adéquates aux réalités de la vie sociale. Il peut être néanmoins utile de résumer ce dualisme particulier qui oppose la citoyenneté républicaine ou communautarienne, d'un côté, et la citoyenneté impériale ou libérale de l'autre, avant de tenter de voir au-delà. Nous avons donc deux compréhensions différentes de ce que signifie être un citoyen. La première décrit la citoyenneté comme une charge, une responsabilité, un fardeau fièrement assumé ; la seconde décrit la citoyenneté comme un statut, un titre, un droit ou un ensemble de droits dont on jouit passivement. La première fait de la citoyenneté le cœur même de notre vie, la seconde y voit un cadre extérieur. La première suppose un corps de citoyens étroitement lié et homogène, foncièrement engagés dans la vie de la Cité ; la seconde suppose un corps diversifié et lié de façon distendue, dont les membres sont engagés dans d'autres relations. La première convient à une communauté relativement exclusive, la seconde combine ouverture et inclusion. D'après la première, le citoyen est l'acteur politique essentiel, l'élaboration des lois et l'administration sont son affaire quotidienne. Selon la seconde, celles-ci sont largement l'affaire de politiciens professionnels ; les citoyens ont d'autres professions.

La première interprétation de la citoyenneté, selon Marx, est appropriée à « la république démocratique antique, réaliste, basée sur l'esclavage effectif » tandis que la seconde est appropriée à « l'État moderne spiritualiste [...] représentatif, qui est basé sur l'esclavage émancipé, sur la société bourgeoise[10] ». Mais cette distinction, comme le dualisme en question lui-même, est beaucoup trop rigide. Par « réaliste », Marx veut dire que la citoyenneté chez les Anciens était une expérience concrète et actuelle ; par « spiritualiste », il veut dire que la citoyenneté dans les conditions modernes est une idéologie et une illusion. En fait, cependant, le réalisme ancien était – au moins en partie – illusoire, car il y avait beaucoup de citoyens passifs ou ineffectifs dans l'action (et bien plus encore de non-citoyens, femmes et esclaves, à qui était imposé le silence politique). Et le spiritualisme moderne est au moins partiellement réel, car des citoyens ordinaires sont quelquefois engagés dans des partis et des mouvements qui transforment la société dans son ensemble – souvenez-vous des années 1970.

Pour comprendre la citoyenneté en Occident aujourd'hui, nous devons nous concentrer sur cette réalité partielle. Elle a son origine dans deux faits simples de la vie politique : d'abord, la sécurité garantie par les autorités ne peut être seulement éprouvée passivement ; elle doit elle-même être assurée, quelquefois contre les autorités elles-mêmes. La jouissance passive de la citoyenneté requiert, au moins par intermittences, un activisme politique des citoyens. Et deuxièmement, dès lors qu'un activisme politique est possible, on peut être sûr que la définition de la « liberté commune » sera contestée. (La politique démocratique depuis la Révolution française est essentiellement

10. Karl Marx, *la Sainte Famille, op. cit.*

cette contestation même, toujours recommencée.) Les contestataires ne sont pas des jacobins (ni des Grecs, ni des Romains) mais ils ne sont pas non plus les purs bénéficiaires ou consommateurs de la protection politique – le seraient-ils qu'ils bénéficieraient de beaucoup moins de protection qu'ils n'en ont.

La « liberté commune » est une idée susceptible d'expansion. L'expansion peut être de deux sortes : le nombre et l'échelle des personnes comprises dans le « commun » augmente par invasion et incorporation : esclaves, travailleurs, nouveaux immigrants, juifs, Noirs, femmes, minorités de toutes sortes – tous se meuvent dans le cercle des « protégés », même si la protection dont ils disposent effectivement est encore inégale et inadéquate. Et en même temps, le nombre et l'échelle des « libertés » et des titres croît également, et la citoyenneté en vient graduellement à entraîner non seulement la protection de la vie et de la famille mais aussi l'octroi, à un degré ou à un autre, de l'éducation, du soin médical, des pensions de retraite, etc. Ces deux expansions sont contestées ; l'une et l'autre impliquent une organisation et des luttes, et ainsi la citoyenneté comme participation politique ou « contrôle » et la citoyenneté comme obtention de bénéfices vont main dans la main. Au moins vont-elles main dans la main jusqu'à ce que la série complète de bénéfices soit finalement offerte à la série complète de citoyens. Alors, il pourrait n'y avoir plus rien pour quoi s'organiser et lutter, plus de conquête qui vaille la peine de « contester ». Mais ce temps-là semble bien lointain. D'ici là, la citoyenneté reste simultanément active et passive, requérant l'exercice des vertus antiques mais seulement pour la jouissance des droits modernes.

Cependant, le nombre de citoyens actuellement impliqués dans des organisations politiques, occupant effectivement des charges politiques, est extrêmement réduit aujourd'hui, et la volonté des hommes et des femmes ordinaires de consacrer du temps et de l'énergie à la politique est limitée. La citoyenneté démocratique sous sa forme contemporaine ne semble pas encourager un haut degré d'implication et de dévouement. D'où la réapparition périodique de la citoyenneté antique dans sa robe idéologique, expression du sentiment désespéré que quelque chose de vital a été perdu, et que la santé de la République requiert un retour aux vertus antiques, la responsabilité civique, l'activisme politique. Peut-être est-ce vrai, et pourtant on ne peut pas dire que le primat de la politique et le sentiment exaltant de *camaraderie* qu'entretenaient les cités grecques et romaines auraient été « perdus », puisque de telles choses n'ont jamais été « trouvées » dans un cadre pleinement moderne. La communauté, comme nous l'ont répété littéralement des centaines de poètes, de critiques et de théoriciens de la politique, a été perdue depuis des siècles maintenant.

Cependant, dans le cadre des partis et des mouvements sociaux qui ont lutté pour l'expansion de la citoyenneté démocratique (les mouvements ouvriers, féministes, le combat pour les droits civiques aux États-Unis et ses équivalents dans beaucoup d'autres pays, le mouvement écologiste), quelque chose du sens de la communauté a pu survivre ; ces mouvements ont sans doute suscité un sentiment de solidarité, un activisme et un engagement quotidien chez un grand nombre d'hommes et de femmes. Il ne s'agit pourtant pas là – et il ne peut probablement pas s'agir – d'états durables : ces sentiments puissants ne perdurent pas au-delà du succès du mouvement, voire de ses succès partiels. La citoyenneté est de moins en moins l'identité première ou la passion brûlante d'hommes et de femmes qui vivent dans des sociétés complexes et hautement différenciées, où la politique fait face à la concurrence – en temps et en attention – de la classe sociale, de l'ethnicité, de la religion et de la famille, et où ces quatre composantes ne rassemblent pas les gens mais les séparent plutôt, les divisent. La séparation et la division débouchent sur le primat du domaine privé. Étant donné le pouvoir réel de ce domaine, l'image d'un citoyen vertueux et heureux se ruant aux meetings politiques est un morceau de *kitsch* républicain ou communautarien. Elle manque (ou évite) la tension et la perte que tout homme ou femme d'aujourd'hui qui est entraîné dans une activité politique est sûr de connaître. Mais il y a une perte aussi dans le fait de ne jamais y être entraîné, de ne jamais faire l'expérience de la passion du débat public et de l'agitation politique. La véritable question, dès lors, n'est pas celle du primat mais celle de la *possibilité*. La citoyenneté, dans le sens activiste, n'est pas première et ne le sera jamais plus ; mais elle peut, même dans le monde moderne, être plus ou moins accessible, plus ou moins importante, attractive et absorbante. C'est encore, en partie, une affaire d'échelle. Les propositions faites ces dernières années pour une décentralisation des structures gouvernementales et pour un renforcement de la vie organisationnelle de la société civile représentent une meilleure réponse à la « perte » de communauté que les tentatives visant à réprimer la diversité et la différence, à nationaliser la politique, à restreindre l'immigration, etc. La société civile est effectivement le domaine de la fragmentation ; elle s'accorde mieux à la conception libérale de la politique qu'à la vision communautarienne : les citoyens se dispersent et poursuivent leurs intérêts séparés. Mais la société civile aujourd'hui est également un domaine de coopération, où les citoyens apprennent à travailler ensemble en vue d'intérêts communs. Et la poursuite commune de ces intérêts les pousse dans la politique au sens large ; elle les prépare à, et leur demande de, jouer, au moins de temps en temps, le rôle de citoyens.

Ainsi, plus de participation aux niveaux locaux et dans les associations, partis et mouvements contribuerait sans doute à faire de la citoyenneté une expérience plus concrète et plus « réaliste » ; cela permettrait d'étendre la vie publique et la responsabilité civique. Pour ma part, j'incline à penser cette expansion suivant une version socialiste plutôt que libérale ou communautarienne de la citoyenneté (dans la mesure où elle implique pour moi une démocratisation de la société elle-même), mais je n'insisterai pas ici sur cette orientation. En aucun cas cette expansion n'est-elle susceptible de faire renaître la « vertu politique » au sens antique, pas plus qu'elle ne réduira la complexité et la différenciation de la vie sociale moderne. Mais elle pourrait mener à quelque chose que l'on peut se représenter comme une vertu « en mode mineur », ou comme une vertu intermittente. La citoyenneté et la participation politique auraient leurs moments, plus variés et plus nombreux qu'aujourd'hui, et même les citoyens modernes qui sont absorbés dans leur vie privée pourraient bien trouver de tels moments heureux.

Exclusion, injustice et État démocratique

QUI EN FAIT PARTIE et qui n'en fait pas partie ? Telle est la question fondamentale à laquelle toute communauté politique se doit de répondre. Une communauté se constitue par la réponse qu'elle apporte à cette question, ou plutôt par le processus par lequel on décide de qui proviennent les meilleures réponses. Cela est vrai même si la décision n'est pas définitive et ne distingue pas de façon absolue qui est membre et qui ne l'est pas. La certitude en la matière est rarement possible. Les Grecs Anciens et les Israélites, par exemple, distinguaient les étrangers selon un critère restreint de parenté directe. Néanmoins, leur communauté politique incluait, en plus des citoyens et de leurs frères, un groupe intermédiaire de résidents d'origine étrangère, les métèques (*ge'rim*), qui n'étaient ni parents, ni étrangers mais qui partageaient certains des droits et des obligations inhérents aux membres de la communauté. En outre, les divisions de classe ou de sexe traversaient toutes ces catégories et, en Grèce antique comme dans l'ancienne Israël, certains membres de la communauté étaient dominés alors que certains étrangers étaient dominants. Les règles formelles de l'intégration ou de l'exclusion n'en déterminaient pas les modalités effectives. L'idée selon laquelle les femmes, les esclaves, les travailleurs urbains ou le « peuple de la terre » (*am ha-aretz*) – même s'ils étaient natifs et dotés d'une généalogie correcte – n'avaient pas à intervenir dans le gouvernement de leurs communautés, n'aurait pas choqué les philosophes grecs ou les sages juifs. L'exclusion de ces personnes était certainement moins problématique que celle des résidents étrangers.

Dans nos sociétés dotées d'une énorme population de travailleurs immigrés ou clandestins, nous avons reproduit cette ancienne classe intermédiaire. Nous avons nos résidents étrangers, plongés dans la communauté politique sans en être membres, et leurs droits et devoirs sont autant discutés aujourd'hui qu'ils l'étaient il y a deux mille ans. Quant à l'autre forme d'exclusion, nous prétendons l'avoir éradiquée. Nous avons étendu l'ancienne notion de citoyenneté et de fraternité en abolissant les barrières de classe et de sexe, en insérant les femmes, les esclaves et les artisans, et en aboutissant à la définition moderne, élargie, du *demos*. Tous, hommes et femmes, participent ou sont supposés participer, sur un pied d'égalité, à toutes les sphères de justice. En tant que membres, ils bénéficient de la distribution des biens sociaux, sécurité, santé, éducation, emploi, pouvoir, etc., et participent aux débats sur la signification de ce partage et sa mise en œuvre.

L'idée selon laquelle cette participation donnerait lieu à une forme d'« égalité complexe » entre les membres d'une communauté constituait les prémisses des arguments développés dans *Spheres of Justice*. Cela ne signifie pas pour autant qu'il doive y avoir une distribution égale de tous les biens entre tous les membres de la communauté : étant donné la nature, c'est-à-dire la signification sociale et l'usage coutumier, de ces biens, une distribution égalitariste n'est ni possible, ni souhaitable. Les différents biens sociaux seraient plutôt distribués en vertu de raisons différentes, par des agents différents et à des personnes différentes, de telle sorte qu'aucun groupe, qu'aucune personne ne soit dominant d'une sphère à l'autre. Cela signifie aussi que la possession d'un bien (l'argent, le pouvoir ou la réputation familiale) ne saurait entraîner les autres dans son sillage. Les personnes peu avantagées dans une sphère de distribution pourraient l'être davantage dans une autre. Il en résulte une extension horizontale et sociale de la version aristotélicienne du « gouvernant et gouverné à son tour ». Nul ne gouvernerait ou ne serait gouverné de façon permanente et en tout lieu. Nul ne serait radicalement exclu.

Tel est le tableau idéal, normatif, de ce qu'il adviendrait si les personnes participaient réellement au processus de distribution des biens et défendaient avec succès l'autonomie de chaque sphère de justice. Cette défense est toujours nécessaire puisque tout bien ayant une signification sociale importante (comme par exemple l'argent dans nos sociétés) peut être aisément converti en tout autre bien, devenant ainsi un moyen de domination pour ceux qui en disposent. Les inégalités naissent toujours de tels moyens : la terre, l'argent, le pouvoir politique, l'identité raciale ou religieuse (ou un sous-ensemble de cette liste) deviennent les moyens d'accéder à la gamme complète des biens sociaux. Les agents chargés de chaque forme autonome de distribution sont en fait dépourvus de pouvoir. Alors les pauvres, les membres des minorités raciales ou religieuses, les hommes et femmes non orthodoxes, ne partagent que de façon limitée les bonheurs de leur pays, supportent la charge du déclin économique, sont exclus des meilleures écoles et des meilleurs emplois et portent en eux, en tout lieu, le stigmate de l'échec. Nous reproduisons ainsi les exclusions internes de l'ancien monde : certains membres de la communauté sont dominés, sans pouvoir, sans emploi, marginalisés.

Nous ne savons pas exactement comment dénommer ces personnes : les dépossédés, le quart-monde, les populations défavorisées, les exclus, les démunis. Cette confusion relative à leur qualification reflète une gêne plus profonde concernant leur existence. Car toute l'évolution de la démocratie moderne tend, pensons-nous, à rendre la reproduction de la marginalité et de l'exclusion de plus en plus difficile. Les concours administratifs et les lois exigeant de justes pratiques de recrutement ouvrent les carrières aux citoyens de talent quels qu'ils soient, et empêchent la distribution des emplois et des fonctions selon des réseaux de relations, d'appartenance ethnique ou religieuse, ou d'anciens élèves. L'enseignement public et les politiques d'admission méritocratiques garantissent une distribution des chances d'éducation en dehors de toute référence à la race ou à la religion. Les grands programmes sociaux excluent la possibilité d'utiliser l'assistance sociale comme une forme de patronage. La condamnation de la corruption et les nouvelles limitations des contributions aux campagnes électorales protègent le système judiciaire et la politique du risque de corruption par l'argent. La tolérance religieuse et le pluralisme culturel permettent à l'individu de pratiquer librement un culte et de vivre de façon non conformiste, sans craindre une répression d'ordre politique ou économique. Par tous ces moyens (et bien d'autres), nous sauvegardons l'intégrité des frontières entre les différentes sphères de justice. Pourquoi, alors, sommes-nous si loin de l'égalité complexe ?

*

Je voudrais avancer deux éléments de réponse à cette question. D'une part, la convertibilité des biens sociaux et la possibilité de domination qui en découle prennent, dans les sociétés modernes, des formes de plus en plus insidieuses et indirectes. Elles ont rarement fait l'objet, jusqu'à aujourd'hui, d'un véritable contrôle démocratique. D'autre part, étant donné l'existence persistante de groupes marginalisés, l'État doit jouer un rôle plus grand que je ne l'envisageais il y a dix ans, pour promouvoir la notion d'égalité complexe. La première idée met en relief une surestimation de la justice du système de distribution contemporain. La seconde insiste sur la sous-estimation de l'État en tant qu'agent d'une justice distributive.

Les considérations classiques sur l'inégalité et l'exclusion en termes de rapports de classe et de biens dominants continuent à avoir du poids, mais elles tendent à susciter, parmi des groupes d'exclus ou de marginaux, des théories de l'oppression systématique et des histoires de conspiration qui ne résistent guère à l'analyse empirique. En fait, la domination active est moins évidente de nos jours. L'appartenance à une société démocratique implique des mécanismes de protection importants que personne n'est prêt à contester ouvertement. Des individus d'un groupe exclu, ainsi protégés, font leur chemin et bénéficient d'au moins une petite part des biens sociaux. Aussi un mythe insidieux s'est formé, un contre-mythe aux idées de conspiration. Les exclusions qui subsistent ne seraient pas tant la manifestation d'injustices qu'elles ne seraient le résultat inattendu des exigences de justice. Les exclues et exclus obtiendraient ce qu'ils méritent ou ce qu'ils ont choisi, à moins qu'ils ne soient les victimes du mauvais sort. Personne d'autre ne serait directement responsable de leur sort. C'est l'attribution de responsabilité qui est en jeu ici, ce qui n'est pas sans conséquences sur les politiques sociales.

Le mythe de l'exclusion juste ou justifiée remonte, je pense, à l'ouvrage de Michael Young, *Rise of the Meritocraty*, qui représente à mes yeux la « dystopie » classique des sciences sociales contemporaines. Le propos de Young comportait en réalité une critique virulente des principes méritocratiques de distribution en l'absence de toute espèce de solidarité socialiste. Selon lui, l'égalité des chances diviserait la société en deux classes : les gens capables de saisir leur chance et ceux qui ne le seraient pas. Ces derniers constitueraient une classe inférieure sans précédent dans l'histoire : ni esclave ni opprimée ni exploitée mais se maintenant exactement là où ses propres efforts (ou absences d'effort) l'auraient amenée. Elle serait même dépourvue de toute cause à laquelle se rallier. Les arguments de Young sont aujourd'hui repris sans leur orientation critique.

La subordination et l'exclusion, dit-on, relèvent moins de la domination que de l'incapacité, de l'apathie ou du désintérêt. Les exclus sont simplement une classe d'hommes et de femmes dépourvus des qualités requises par chacune des sphères de justice, de telle sorte que les processus de distribution qui sont autonomes, tout comme ils doivent l'être, ne leur apportent aucun bien, en tout cas aucun bien dont ils pourraient faire un usage profitable. Une domination indirecte et insidieuse n'est en rien responsable de leur sort, dans la mesure où nous aurions largement remplacé l'exclusion collective (des femmes, des ouvriers, des Noirs ou des juifs) par une nouvelle forme d'exclusion d'individus choisis, si l'on peut dire, pour de bonnes raisons.

Si l'on adopte ce point de vue, le triomphe de l'égalité et l'expansion démocratique de la citoyenneté s'avèrent être une sinistre plaisanterie. Il en a simplement résulté la mise en évidence de ce qui était autrefois caché par les fausses abstractions du sexe, de la race et de la classe : la présence de personnes qui ne peuvent ou ne veulent pas se conformer aux exigences, ou à la pluralité des exigences, relatives à la citoyenneté. Ceux qui en sont capables y arrivent, mis à part la malchance qui est le lot de chacun. Le fait d'échouer dans toutes les sphères n'est plus considéré comme le résultat ou le signe visible d'une oppression ou d'une injustice. En conséquence, les seules raisons que nous avons d'aider ceux qui échouent relèvent de la compassion ou de l'humanité. Nous devons rester vigilants sur ces motivations, car elles pourraient bien nous amener à agir injustement, en contrariant les processus autonomes de distribution des biens – comme dans le cas des mesures antidiscriminatoires en faveur des minorités (*affirmative action, reverse discrimination*) – et en surchargeant le système d'assistance. Des sentiments humains ne requièrent qu'un soutien humanitaire, un « filet de sauvetage » permettant à ceux auxquels sont refusés, non sans raison, les biens sociaux les plus désirables, de ne pas être impitoyablement privés de moyens de subsistance.

Ma propre thèse, selon laquelle l'exclusion est encore une injustice, doit être défendue contre ces arguments de type néo-youngiens. Elle doit aussi faire face aux variantes libertariennes qui soutiennent que les dernières traces de domination ne seront éliminées que lorsque nous aurons réduit les programmes sociaux, déréglementé le marché et abandonné les mesures anti-discriminatoires. C'est seulement lorsque chacun sera exposé à l'âpre émulation et aux promesses dorées offertes par la méritocratie et la « libre entreprise » que nous saurons qui sont les personnes justement (ou du moins non injustement) exclues. Elles se répartiront en deux catégories : ceux qui travaillent dans des emplois mal payés et qui survivent ainsi sur les marges de la société, et ceux qui ne peuvent ou ne veulent pas travailler et qui sont rattrapés dans le « filet de sauvetage ». Je pense que le refus de se sentir autrement responsable du sort de ces personnes sous-tend les politiques conservatrices des années quatre-vingt. On retrouve ces mêmes idées, bien que rarement développées aussi ouvertement que dans la satire de Young, dans certains ouvrages savants ayant traité récemment de l'intelligence, du crime, de la pauvreté et de la protection sociale. On les retrouve aussi, dans un style plus populaire, dans les colonnes des journaux, les émissions de radio et les conversations de tous les jours. Elles n'expriment souvent que narcissisme et étroitesse d'esprit. Néanmoins, elles reposent aussi sur une certaine vision de la justice, selon laquelle tout ce qui devait être fait pour ces « gens-là » a déjà été fait. C'est à ces idées que je souhaite répondre mais, auparavant, il serait utile de proposer la description type d'un de ces « gens-là », tel qu'il apparaît dans la perspective néo-youngienne.

Imaginons donc un homme ou une femme citoyen, membre à part entière de la communauté telle que la loi le prévoit, vivant de prestations sociales mais incapable, en dépit de l'assistance qu'il reçoit, de mener une vie indépendante ; un client passif de l'administration, devenu inapte à subvenir à ses propres besoins ou à ceux des autres et qui serait soudain exclu du système pour des raisons (justifiées) de réductions budgétaires. Il n'apporte ni compétence ni ressource sur le marché ; il travaille de façon intermittente et ne déploie aucune disposition ni énergie d'entrepreneur. Il a reçu l'éducation publique minimale requise par la loi, qui est restée sans effet, sans jamais y engager aucun intérêt moral ou matériel. Il n'est donc pas qualifié pour occuper les postes offerts par l'administration, par les professions et les institutions qui forment leurs personnels. Il a plus que sa part de sale boulot. Il dispose de beaucoup de temps libre, puisqu'il est souvent sans travail ou (pour de bonnes raisons) en prison, mais pas de ce que nous pourrions appeler des « loisirs ». Il vit dans une famille éclatée ou, du moins, sans soutien familial véritable, seul et parfois sans logis. Il est peu respecté par ses concitoyens et manque en conséquence de respect de soi. Il est dépourvu de pouvoir politique, en dépit de son droit de vote, parce qu'il fait partie de ceux qui n'ont pas à être comptés, une masse d'hommes et de femmes inorganisés, inarticulés et, par conséquent, non représentés. C'est enfin quelqu'un qui ne peut probablement pas trouver le salut, bien que le salut soit le bien social le plus immédiatement accessible, entre les mains de prêcheurs ambulants ou de « télévangélistes ».

Cette personne a-t-elle été traitée injustement ? Son histoire n'est-elle pas seulement la triste histoire d'une malchance ou d'un échec individuel, alors que les agences de distribution ont rempli leur mission du mieux qu'elles ont pu, toujours en accord avec les principes de justice ? Les travailleurs sociaux et les enseignants ont tenté de l'aider ; les directeurs du personnel se sont penchés sur son talent ou son manque de talent ; les hommes politiques démocrates se sont attachés sans succès à construire une « base » avec de telles personnes, et ainsi de suite. On ne l'a pas traitée comme un étranger ni exclu sans s'être d'abord penché sur son cas. Étant donné toute l'attention dont elle a bénéficié, quelles raisons a-t-elle de se plaindre de son exclusion ? Une personne dans cette situation ne peut adresser sa plainte, ainsi que le fit Job, qu'à Dieu. Peut-être supporte-t-elle un mal immérité ; mais l'injustice est divine et non plus humaine.

*

Je peux concevoir une société dans laquelle un tel tableau de l'exclusion est plausible, et j'aimerais revenir ultérieurement sur les difficultés que cette hypothèse pose à une théorie de la justice. Notre objectif doit-il être de créer une société dans laquelle les pauvres et les exclus n'auraient aucune raison de se plaindre ? Est-ce là la définition d'une société *juste* ? En tout état de cause, nous ne vivons pas dans un tel monde. Dans nos sociétés, les exclus ne sont pas les produits du hasard résultant d'une série d'échecs individuels se répétant dans toutes les sphères. Ils proviennent, le plus souvent, de groupes dont les membres partagent les mêmes expériences et, assez souvent, un air de famille (par la race, le groupe ethnique, le sexe). L'échec les poursuit de sphère en sphère sous forme de stéréotypes, de discriminations et de mépris, de sorte que leur condition n'est pas, en fait, le fruit d'une succession de décisions autonomes mais celui, unique, d'une décision unique du système, ou bien de décisions liées. Quant aux enfants, ils héritent de l'exclusion. Les caractéristiques individuelles supposées la produire (et qui peuvent en légitimer l'existence) en sont elles-mêmes le produit.

De tels groupes ne se constituent et ne se reproduisent que sous l'effet d'une pression sociale. Mais cette pression, pour être efficace, n'a pas besoin de prendre la forme d'une oppression, organisée et préméditée. Elle ne s'assimile pas à l'esclavage d'antan des Noirs américains ou bien aux restrictions de droits qu'imposeraient les suprématistes blancs s'ils le pouvaient. Il en faut moins que cela, comme le suggère aujourd'hui l'exemple des Noirs aux États-Unis. Le fait que les suprématistes blancs demeurent politiquement actifs a certainement une influence sur la vie quotidienne des Noirs, mais l'élément le plus important pour expliquer leur exclusion (partielle) est un continuum d'attitudes et de pratiques qui commence avec le racisme, et qui doit parcourir un long chemin avant d'atteindre la civilité égalitarienne ou l'amitié, à l'autre extrémité du spectre. La plupart des personnes, dont les attitudes et les pratiques sont comprises dans ce continuum, condamneraient certainement le racisme si on leur demandait ce qu'elles en pensent. Mais leurs propres habitudes, leurs attentes et leurs craintes cachées portent en elles un fond de préjugés raciaux et constituent une force sociale significative, même s'il s'agit d'une force dont les conséquences ne sont pas le fruit d'une volonté affirmée. Beaucoup de ces personnes sont des agents de distribution des biens sociaux, elles travaillent dans le secteur social, dans des comités d'établissements scolaires, des comités d'admission et de prospection, ou dans des partis et des mouvements politiques. Elles sont toutes électeurs potentiels et ont dans leurs mains, ou plutôt dans leur esprit et dans leur regard, un pouvoir de reconnaissance. Quand je suggérais que l'usage contemporain de biens dominants s'étend au-delà des frontières de chaque sphère, et que les formes d'exclusion en résultant sont subtiles et indirectes, je songeais à ces personnes et, parmi elles, à moi-même bien sûr. En raison de ce que nous faisons (même si nous n'avons pas de plan général pour en décider, et que nos façons diffèrent selon que nous nous situons plutôt à gauche ou à droite du continuum), les difficultés auxquelles est confrontée une personne en situation d'exclusion relèvent toujours d'une responsabilité sociale et pas seulement personnelle, la nôtre et pas seulement la sienne.

Cet argument est tout aussi valable si l'exclusion est autant affaire de classe que de race (de groupe ethnique ou de religion), comme je pense que c'est le cas le plus souvent. En abordant la question de la domination dans *Spheres of Justice*, j'ai centré mon propos sur les individus ou les groupes qui sont en mesure d'utiliser un bien dominant (comme par exemple la richesse) pour acquérir des biens qui ne devraient pas se prêter au négoce. Prenons l'exemple des personnes que le manque d'argent rend susceptibles de perdre tous ces biens qui sont en fait négociés. Pauvres dans la sphère du marché, elles se retrouvent appauvries dans toutes les autres sphères. Dans ce cas aussi, leur exclusion peut emprunter des formes indirectes et subtiles. Cela ne dépend pas d'un transfert monétaire pur et simple en échange de places dans les écoles, ou d'emplois publics, ou d'influence politique ou encore d'intervention judiciaire. Le pouvoir de l'argent se révèle dans la manière dont ses détenteurs sont éduqués, dans la façon dont ils parlent et s'habillent, dans la générosité dont ils sont capables, dans les services qui peuvent leur être rendus, dans l'attention qu'ils portent à eux-mêmes. Là encore, nous sommes tous complices à des degrés divers lorsque nous laissons ces éléments prendre de l'importance dans des décisions en matière de distribution, qu'elles soient de notre ressort ou de celui des autres.

Il ne fait aucun doute que les exclusions dans une société de classe ou dans une société raciste ne relèvent pas seulement d'attitudes personnelles mais sont aussi de nature structurelle. Mais l'impact des structures sur ce que les structuralistes appellent la réalité passe par l'intermédiaire des idées et des actions d'individus. Il varie de façon importante selon la position de ces individus sur le continuum d'attitudes et de pratiques, depuis le mépris et le racisme jusqu'à l'amitié civique. Les structures bien établies seront plutôt examinées et mises en cause par des hommes et des femmes dont l'inclination va vers la gauche du spectre. Mais la plupart des gens (tout au moins aux États-Unis aujourd'hui) sont satisfaits des institutions, précisément parce que les personnes exclues ou marginalisées sont ces « gens-là » (Noirs, pauvres, ou stigmatisés de quelque manière).

Ces propos ne sont pas destinés à susciter la culpabilité. Les manières de « faire » ou de « laisser faire » que j'attribue à un grand nombre de mes semblables ne me semblent pas relever de ce registre. Je ne suis pas certain que beaucoup d'entre nous soient capables de se débarrasser de ces préjugés racistes ou classistes que nous avons au fond de nous-mêmes. De ma thèse découle une obligation d'ordre social, et non un sentiment personnel dicté par le remords. L'existence de groupes d'exclus nous enjoint, au nom de la justice, de produire un effort collectif afin de rendre possibles la réinsertion de leurs membres et leur existence indépendante dans chaque sphère de distribution. C'est d'ailleurs la raison d'être de deux biens sociaux liés : la protection sociale et l'éducation. Considérons-les tour à tour, car ils témoignent de l'importance de notre contribution et de notre engagement à l'élaboration, malgré nos échecs et nos dénégations, d'une société intégratrice.

La protection sociale est parfois comprise comme un pur secours : l'État se fait « soupe populaire ». Telle est la vision de ces auteurs ou de ces hommes politiques contemporains qui pensent que les exclus sont responsables de leur sort, pour autant que chacun d'entre nous peut l'être. Anticipant leurs échecs, nous mettons en place un « filet de sauvetage », par égard pour eux ou pour nous, peu importe ! Je ne crois pas que cette approche ait jamais été la plus générale ni la meilleure lecture possible du travail social (en tant qu'elle le distingue, disons, de la charité). La préoccupation à l'égard des pauvres sans incapacité physique n'a jamais été, depuis les temps anciens, limitée au pur secours. Les agents de l'État faisaient tout ce qu'ils pouvaient pour inciter ou obliger ces personnes à réintégrer la force de travail et à se prendre en charge. Les moyens déployés à cette fin furent souvent répressifs et je ne souhaite pas les recommander. Cependant ce projet de réinsertion semble parfaitement s'accorder, la répression en moins, à la conception démocratique de l'appartenance.

Dans *Spheres of Justice*, j'ai montré qu'un tel projet caractérisait le système de protection sociale des communautés juives de l'Europe médiévale. Pionniers en la matière, ils utilisèrent leur statut de minorité persécutée pour établir non une démocratie, mais un système mutualiste très solide. Les ressources offertes par la communauté étaient mobilisées contre l'exclusion et pourvoyaient en écoles, dots, prêts, emplois, objets de culte, aussi bien qu'en nourriture ou vêtements, afin que l'appartenance communautaire puisse se maintenir. Même si l'objet explicite de cette mobilisation n'était pas de créer une société juste, la responsabilité de chaque individu était considérée comme un problème relevant de la justice. Il me semble qu'une société dans laquelle personne n'est exclu est plus juste qu'une société incluant des exclus, si l'on peut dire, et des personnes marginalisées qui ne participent pas à un monde dont elles relèvent, qu'elles le veuillent ou non. La critique actuelle de l'« assistanat » (*welfare dependency*), quels que soient ses motifs politiques, s'inscrit aussi dans cette perspective selon laquelle le but de toute assistance collective est de produire une participation active à la vie politique et économique, et non de maintenir les individus dans une relation clientéliste.

Cela présuppose que toute personne exclue est susceptible de participation, qu'elle en a l'ambition et le talent, et qu'avec un minimum d'aide elle peut jouer un rôle dans quelques sphères au moins. Ces présupposés sous-tendent aussi notre adhésion à une éducation publique universelle : l'enfant que nous obligeons à se rendre à l'école doit pouvoir en tirer un avantage pour devenir un citoyen actif et utile, un travailleur autosuffisant. Nous nous devons tous de participer à la reproduction de ces citoyens-là et de ces travailleurs. Cette obligation provient de notre accord pour soutenir une société de gens qui nous ressemblent, et à l'intérieur de laquelle une vie décente et sûre est possible. Nous le devons aussi aux enfants que nous avons mis au monde et envers qui nous sommes responsables (dans la mesure de nos possibilités) de la peine et du malheur causés par leur exclusion éventuelle.

Mais peut-être n'avons-nous pas cette possibilité. Peut-être l'unique objectif réalisable d'une éducation publique est-il de sélectionner les enfants en distinguant les exclus des inclus, de la façon la plus juste possible. Beaucoup d'écoles de banlieues déshéritées ne semblent pas faire aujourd'hui autre chose, sans toutefois faire preuve d'un grand souci d'impartialité, les enfants voués à l'exclusion venant en effet toujours des mêmes « familles ». Cependant dans la mesure où les écoles ont pour mission, dans un système démocratique, l'éducation des citoyens, toute sélection, aussi impartiale soit-elle, représente un échec terrible. L'éducation démocratique constitue un pari sur la nature universelle ou quasi universelle des aptitudes. Ou plutôt la démocratie est elle-même ce pari, et l'éducation constitue le moyen de le gagner. Sans doute les individus sont-ils inégalement compétents, la victoire toujours partielle ; sans doute les écoles effectuent-elles de trop nombreuses sélections qui vont dans le sens d'une dichotomie qui n'aurait pas à être établie ni renforcée, dichotomie radicale entre ceux qui sont dans le système et ceux qui sont au dehors. Mais les enseignants doivent faire le pari de la démocratie. C'est le présupposé moral de leur travail.

Il s'ensuit que l'on doit considérer l'échec massif dans les sphères de la protection sociale et de l'éducation comme la conséquence d'un manque de mobilisation de ressources matérielles et mentales : manque d'argent, de personnel, de foi dans l'entreprise, d'innovation et d'expérimentation. Ce qui constitue un défaut de ressources varie selon l'époque. Plus la vie politique et économique devient complexe, plus l'engagement devient nécessaire. La cohésion de la société et les efforts qu'elle suppose nécessitent aujourd'hui une mobilisation des ressources sur une grande échelle. Cette exigence est sans précédent dans notre histoire. Jusqu'ici, beaucoup de ces actions étaient le fait de proches ou de bénévoles dépourvus de formation professionnelle et de structures d'encadrement. Je pense qu'ils peuvent encore accomplir une bonne part du travail nécessaire, encore qu'ils travailleraient sans doute mieux dans un cadre institutionnel (école, hôpital, maison de retraite, etc.). Ce cadre institutionnel dépend lui-même des professions de l'assistance. Toute société moderne qui dévalorise ces professions (comme la plupart des sociétés le font, en partie parce que de nombreux citoyens ne veulent pas entendre parler des problèmes qui rendent l'intervention de ces professionnels nécessaire) et qui ne parvient pas, en conséquence, à recruter des personnes compétentes pour enseigner, s'occuper des enfants, conseiller, faire du travail social, etc., est vouée à produire et reproduire de l'exclusion. Une *exclusion injuste* puisque les exclus n'auront pas reçu toute l'attention qui leur est due, comme à tout membre d'une société démocratique.

Bien qu'il s'agisse d'une question de justice, il faut noter que l'intervention directe de l'État n'est pas toujours nécessaire. Son rôle est très important, j'y reviendrai ; mais la société civile est plus à même de prendre en charge bien des difficultés auxquelles doivent faire face les personnes exclues, alors que l'État peut au mieux produire des incitations et des aides financières. Toutes les associations de bénévoles (Église, syndicat, coopérative, association de voisinage, groupe d'intérêt, société pour la préservation de ceci ou de cela, organisation philanthropique et mouvement social) sont, de fait, des instances d'intégration. Outre leurs objectifs propres, ces associations sont une source de reconnaissance, d'habilitation, de formation et même d'emploi. Elles contribuent à décentraliser les sphères de justice en multipliant les dispositifs et les agents et en favorisant une plus grande diversité d'interprétation des critères de distribution des biens. Les dirigeants et les permanents de ces associations, pris dans leur ensemble, constituent une sorte d'administration informelle, une bureaucratie sociale. Bien que, dans une société démocratique, personne ne puisse leur assigner une mission, il est néanmoins important de reconnaître leur importance. L'État ne peut diriger leur travail, mais il peut, et donc devrait, en faciliter l'exécution. Toutes les sphères de justice sont impliquées par les activités de ces associations : l'égalité complexe, dans la situation contemporaine, dépend largement de leur succès.

*

Nous pouvons donc proposer une nouvelle description de l'exclu, celui ou celle qui a perdu dans toutes les sphères, en tant que victime. Quiconque revendique ce statut pour lui-même fait une erreur politique (et peut-être psychologique) majeure, mais la notion de victime est néanmoins pertinente. Cette personne n'a pas reçu l'attention ou l'aide que requiert la justice dans les sphères de la protection sociale et de l'éducation, et ses insuccès se sont transportés dans le domaine du marché, de la politique et de la famille, produisant les échecs répétés dont la somme est précisément l'exclusion. Cela ne veut pas dire que l'individu ne porte aucune responsabilité de sa propre situation, ni qu'il ait été traité partout injustement, ni qu'il soit littéralement la proie d'une classe dirigeante qui l'exploite. Il n'est pas, comme nous pourrions le dire d'un esclave, d'un déporté ou d'un réfugié politique, une pure victime. Sa situation est plus complexe car nous sommes en droit d'attendre beaucoup de lui, aussi longtemps que nous le reconnaissons comme membre de la communauté, membre qui peut attendre beaucoup de nous.

Mais la question persiste : que se passerait-il si tout ce qui lui a été fourni, et sur lequel il peut légitimement compter, s'avère insuffisant ? Il y aura toujours des individus qu'on ne peut pas aider, qui ne peuvent ou ne veulent pas se prendre en charge. Ils n'étudient pas à l'école, ou alors le font sans succès ; ils ne travaillent pas, ou leur travail est mal fait ; ils sont maladroits ou cruels dans leurs relations personnelles ; ils fuient l'espace de la politique ou s'y conduisent de façon incohérente ; ils recherchent les occasions et les succès rapides que leur offre la délinquance ; ils préfèrent la marginalité car elle ressemble à la liberté. Nous pourrions être tentés d'abandonner ces personnes à leur triste sort en ne nous reconnaissant qu'un minimum d'obligations à leur égard. Il n'est pas absurde d'imaginer une société juste comme une société dans laquelle l'abandon de ces personnes ne soit pas injuste du moment que l'on maintient un « filet de sauvetage » en leur faveur. C'est seulement l'affection et la compassion qui nous amèneraient à faire plus en leur faveur. Mais il est impossible d'imaginer une société juste au sein de laquelle les personnes confrontées à cette situation seraient très nombreuses. La pauvreté et l'aliénation sont singulières, non populaires. Il est toujours possible de remédier à certaines inaptitudes de ces personnes.

Le mythe d'une exclusion juste ou justifiée, renvoyée à un avenir hypothétique, reste un mythe. Il procède d'une conception étroite de l'individu, selon laquelle toutes ses capacités sont d'un seul type. Ou bien l'individu apparaît comme systématiquement compétent et volontaire, avec toutefois des forces et des faiblesses qui sont identifiées dans les différentes sphères ; ou bien il apparaît comme systématiquement incompétent et passif, ce qui le conduit partout à des échecs. L'égalité complexe traduit simplement cette hiérarchisation : si les procédures de distribution fonctionnent de façon autonome, les personnes compétentes seront traitées également, en vertu de ce que cet idéal implique. Mais les gens non compétents seront exclus à la fois de la complexité et de l'égalité. Leurs vies seront simples et leur position sociale uniformément subordonnée. La justice est gouvernée par cette dichotomie radicale entre ceux qui peuvent accéder à l'égalité complexe et ceux qui ne le peuvent pas.

Mais cette dichotomie radicale est une invention idéologique. L'égalité complexe va de pair, non pas seulement avec une différenciation des biens sociaux, mais aussi des personnes, des qualités, des intérêts et des compétences de chacun. Il n'y a pas que deux sortes de personnes ; il n'y a pas non plus de personne qui soit d'une seule sorte. L'éventail des qualités, des intérêts et des compétences est très large et je ne vois pas de raison de penser – et certainement pas au vu de ma propre expérience – qu'il y ait des associations de qualités uniformément positives ou uniformément négatives chez des individus particuliers. Tel mathématicien génial est un piètre politicien. Tel musicien talentueux est tout à fait incapable de communiquer avec son prochain. Tel parent attentif et affectueux n'a aucun sens des affaires. Tel entrepreneur ambitieux et brillant est moralement lâche. Tel clochard dans la rue ou tel criminel en prison est un habile artisan, un poète ignoré ou un orateur hors pair. Ces oppositions simples sont courantes et claires mais elles ne parviennent pas à traduire la complexité réelle d'hommes et de femmes dont nous pourrions aligner une longue liste de qualités, d'intérêts et de compétences, non pas seulement divers mais contradictoires. C'est la raison pour laquelle les résultats de la distribution autonome des biens sociaux sont si complètement imprévisibles, du moins pour ce qui concerne les individus. Cependant, nous pouvons être sûrs que ces modes de distribution ne vont pas répartir les personnes en deux groupes radicalement distincts, ceux qui sont dotés des qualités requises et ceux qui ne le sont pas, à moins que l'autonomie elle-même n'ait été corrompue en profondeur.

Si les personnes n'étaient pas elles-mêmes constituées de façon complexe, avec des personnalités partagées, l'égalité complexe serait alors l'exemple d'une mauvaise utopie, un idéal trompeur servant, en fait, à justifier une réalité déplaisante. L'exclusion radicale de personnes totalement incompétentes ne serait pas injuste. Ces personnes n'auraient, comme je l'ai indiqué, aucune raison de se plaindre. Il deviendrait très difficile d'organiser un mouvement social en leur faveur car ses organisateurs ne seraient pas en mesure de faire appel à la conscience morale de leurs concitoyens. Mais il n'existe pas de personne pleinement incompétente, ou du moins pas de classe constituée de telles personnes. L'inquiétude quant au caractère juste ou injuste de l'exclusion est mal placée. Le pari de la démocratie est un pari tout à fait jouable mais il ne sera certainement pas gagné, même partiellement, sans un effort sérieux et soutenu. Dans toute société dont les biens sociaux sont différenciés et supposés répartis selon des processus de distribution autonomes, l'exclusion est, et doit être dite, injuste ; il y a là une raison légitime de mobilisation politique.

*

Tout engagement, toute protestation politique, quel que soit son objet, s'adressent à l'État. Il s'agit toujours d'un appel en faveur d'une action publique (ou parfois pour qu'une action de l'État prenne fin) : les dirigeants doivent faire ceci ou cela (ou cesser de le faire). Dans *Spheres of Justice*, les fonctions que j'attribuais à l'État étaient principalement liées à la défense des frontières entre les sphères : exiger des procédures de recrutement méritocratiques ; renforcer les lois contre les discriminations ; maintenir l'indépendance du système judiciaire, etc. (voir la liste que j'en ai dressée). L'État défend aussi sa propre intégrité et maintient ses frontières en rendant illégal le commerce des suffrages, par exemple, ou en réglementant les campagnes électorales. En agissant pour son propre compte, l'État révèle le dualisme de la sphère politique. Il s'agit, d'une part, de l'espace limité à l'intérieur duquel un bien social de grande valeur, le pouvoir politique, est distribué. Mais c'est aussi la base à partir de laquelle ce pouvoir se déploie le long de toutes les autres sphères, en les transgressant parfois. Lorsque nous protestons contre l'exclusion, nous travaillons à une redistribution et à un redéploiement du pouvoir politique. Les deux aspects sont liés selon des modalités que je n'ai pas prises en compte dans mon travail antérieur, et leurs relations sont lourdes de conséquences.

L'exclusion est une condition qui se reproduit dans chacune des sphères y compris celle du politique. Aussi le premier objectif des mouvements politiques de protestation est-il de mobiliser les personnes exclues et de les amener dans l'État. Puisqu'elles sont déjà citoyens, l'objectif est plus précisément de gagner pour leur compte une part de pouvoir politique. Il est d'abord demandé à l'État d'aider à ce processus – comme, par exemple, lorsque le gouvernement fédéral américain fait progresser les droits civiques en faveur des Noirs. Nous pouvons comprendre cette décision comme une défense de l'autonomie politique, en relation avec le principe démocratique selon lequel le pouvoir doit être distribué avec le consentement de tous les citoyens et non d'une catégorie unique, définie par sa race. Mais l'objectif d'une redistribution du pouvoir auprès des Noirs ne consiste pas seulement en sa possession ou sa jouissance (encore que le pouvoir soit effectivement agréable) mais aussi en son utilisation. Il s'agit en l'occurrence d'une utilisation très particulière, à savoir l'ouverture de toutes les autres sphères à ces personnes qui en étaient jusque-là exclues. Quand les citoyens et les dirigeants contribuent à réformer l'État, ils participent en même temps à un mouvement de réforme de la société dans son entier. Ils sont les promoteurs et les agents de l'égalité complexe.

Une fois le pouvoir redistribué, il est aussi réemployé, mais pas seulement pour défendre les frontières séparant chaque sphère. L'existence d'un groupe d'hommes et de femmes exclus signifie que les frontières ont été transgressées à un tel degré qu'elles doivent d'abord être retracées avant d'être défendues. Elles doivent être redessinées de l'intérieur, en fonction de la signification sociale accordée aux biens qui sont en jeu. Les agents de l'État, les citoyens et les responsables politiques doivent maintenant participer à l'interprétation du sens donné aux biens sociaux et à la conception des modalités de leur distribution. Leur contribution est limitée car ils ne doivent pas usurper l'autorité des personnes plus proches et plus impliquées dans ces problèmes : travailleurs sociaux, enseignants, médecins et infirmières, entrepreneurs, syndicalistes, parents, etc. Les citoyens ont une autorité sur eux-mêmes qui procède du fait que les frontières entre les sphères ne sont pas fixes mais toujours contestables. L'exclusion est le signe que la contestation a tourné court, et une invite à l'État pour lui redonner vigueur. Ce sont les opposants politiques qui font entendre cette invitation.

La politique est impliquée dans tous les désaccords relatifs aux questions de distribution. L'État ne peut pas ignorer ce qui concerne les différentes sphères de justice. Son rôle est seulement limité en proportion de l'autonomie de chacune d'entre elles. Si, par exemple, le « mur » entre l'Église et l'État est en place et joue son rôle, les pouvoirs publics n'ont rien à dire sur la distribution des charges ecclésiastiques (le critère peut être héréditaire, méritocratique, électif, etc.) ou des biens religieux comme le salut et la vie éternelle. Ils ne peuvent que défendre une morale minimaliste en intervenant contre la polygamie ou les sacrifices d'animaux. De même, si le marché fonctionne dans le cadre de limites appropriées, l'État doit restreindre son intervention à des lois telles que celle sur la protection des enfants contre l'exploitation, ou la protection des consommateurs contre les produits dangereux. Mais là où l'Église contrôle les mariages et les divorces et use de son pouvoir pour réprimer des opinions non conformes, là où les relations marchandes déterminent la distribution de biens non marchands, il y a alors toutes les chances pour que l'État, sous la pression des contestataires, se retrouve engagé dans une action de type maximaliste : définir la signification de l'autorité religieuse ou des relations marchandes, afin d'en limiter l'influence.

Cela n'épuise pas non plus l'étendue du domaine d'intervention légitime, et peut-être nécessaire, de l'État. Car la meilleure façon de traiter de l'exclusion pourrait bien être d'augmenter la quantité de biens disponibles plutôt que de redistribuer ceux qui existent déjà. Le nombre d'élèves par professeur ou de places disponibles dans les écoles en sont les exemples flagrants. La décision de construire plus d'écoles, de recruter plus d'enseignants ou d'ouvrir de nouvelles universités ne peut pas être prise de l'intérieur de la sphère éducative : c'est une décision politique, des gouvernements nationaux ou locaux selon l'autorité dont ils sont dotés. De même la décision d'étendre ou de réformer les services sociaux ne peut être prise par un vote des travailleurs sociaux ou de leurs clients. C'est une responsabilité politique qui incombe aux citoyens dans leur ensemble. Les efforts pour renforcer le marché et pour augmenter le nombre des emplois sont aussi de nature politique, car ils nécessitent des décisions concernant les infrastructures, les incitations fiscales, le commerce extérieur, etc.

De nombreux motifs entrent en ligne de compte dans de telles décisions. Quand les gouvernements du tiers monde renforcent leur bureaucratie afin de garantir des emplois à leurs diplômés, par exemple, ils recherchent la stabilité politique mais ils ne contribuent d'aucune façon à un surcroît d'égalité.

Le pouvoir d'État domine la sphère des fonctions et les titres scolaires se substituent aux qualifications réelles. Les personnes lésées par de telles transactions sont celles qui n'ont pas les moyens d'aller à l'école ou qui dépendent pour leur emploi de l'influence de quelque fonctionnaire. Elles sont repoussées aux marges de la vie sociale. Il y a peu d'espoir, dans le tiers monde ou dans le « premier » monde, de maintenir ou d'amener de telles personnes au sein de la communauté sans que des agents de l'État et des citoyens actifs ne fassent de cette cause leur objectif explicite. L'État, ou du moins l'État démocratique moderne, doit défendre les valeurs de la complexité et de l'égalité dans l'intérêt de tous les citoyens. Il ne peut donc rester neutre ou non engagé vis-à-vis de la signification des biens sociaux : les décisions sur le nombre des fonctionnaires dépendent de l'idée que l'on se fait de ces emplois et de leur vocation, de même que celles concernant l'étendue du marché varient selon la façon d'envisager les marchandises et le succès entrepreneurial, ou que les décisions concernant le nombre de places offertes par le système scolaire dépendent d'une certaine conception de l'éducation. Toutes ces décisions sont, dans un sens fondamental, garanties et partiellement déterminées par une certaine compréhension de la citoyenneté elle-même.

L'insertion commence avec la citoyenneté, qui constitue une valeur reproduite par l'activité politique démocratique dans toutes les sphères de justice. La nature de cette reproduction dépend de celle des biens sociaux en jeu. La participation dans les différentes sphères emprunte des formes variées. Mais ce qui caractérise une communauté politique démocratique, c'est la reconnaissance du fait que toutes les transactions sociales qui marginalisent certains citoyens, qui produisent une classe d'hommes et de femmes exclus, sans formation, sans emploi, sans reconnaissance et sans pouvoir, sont partout et toujours, dans la vie de la communauté, injustes.

Éloge du pluralisme démocratique

Entretien avec Michael Walzer

CHANTAL Mouffe – *Votre œuvre commence à être connue en France et elle suscite un vif intérêt car elle représente une manière d'exercer la philosophie politique peu fréquente. En effet, vous êtes à la fois un historien et un théoricien et vous prenez comme point de départ de votre réflexion tout aussi bien la littérature et la religion que la philosophie ou l'histoire ; de plus, vous suivez de près l'actualité politique et vous ne craignez pas de vous engager, d'où la diversité et la richesse de votre démarche. Dans le débat anglo-américain sur la justice, vous avez fait une intervention très remarquée en publiant* Spheres of Justice. *Par rapport à cette discussion, on vous situe généralement dans le camp des auteurs qu'on appelle les « communautaires », ceux qui critiquent la conception individualiste du sujet que l'on trouve chez les libéraux kantiens. Pourtant, vous avez pris de plus en plus vos distances par rapport à cette position. Je me demande si vous n'avez pas davantage d'affinités avec des penseurs qui, comme Richard Rorty ou John Gray, veulent défendre le libéralisme politique tout en faisant la critique de l'universalisme et du rationalisme. Comme vous, ils envisagent la démocratie moderne en tant que tradition, mais ils rejettent toute tentative de donner un fondement métaphysique aux valeurs démocratiques.*

Michael Walzer – Si on voulait situer ceux que vous venez d'évoquer sur une carte, on aurait besoin d'une carte du monde académique, pas du monde politique ou du « monde réel ». C'est pourquoi je ne désire pas que l'on inscrive sur mon passeport « communautaire », « universaliste » ou « postmoderne ». Cela ne correspond pas à mes engagements.

D'autre part, j'aime parler de ce que je suis, peut-être même trop : américain, juif, intellectuel, socialiste démocratique, etc. D'ailleurs je ne me sens pas à l'aise avec la chaleur communautaire et avec l'idée, un peu étouffante, qu'une seule communauté puisse suffire à nos besoins. Je connais mes divisions intérieures et je perçois les mêmes signes de division chez mes amis. Ce qu'il nous faut, c'est une politique moins contraignante – quelque chose comme une social-démocratie libérale et pluraliste. Mais une telle politique requiert que nous luttions pour son avènement car, si elle a son origine dans certaines caractéristiques de notre tradition politique, elle exige aussi que nous en combattions d'autres. Loin de moi l'intention de m'installer confortablement dans la tradition et le contextualisme comme un vieillard dans un fauteuil. Je peux très bien me passer de fondements théoriques mais cela ne m'empêche pas de rechercher l'union entre la théorie critique et la pratique politique.

Bien que l'on vous oppose souvent à John Rawls, il me semble que, sur le plan politique, vous êtes en réalité proche de lui car Rawls défend, lui aussi, une certaine forme de social-démocratie. D'autre part sa position théorique a beaucoup évolué depuis Une théorie de la justice. *Dans des articles récents, il affirme que son ambition n'est pas de formuler une théorie de la justice qui soit valable pour toutes les sociétés. La justice comme* équité, *dit-il, s'appuie sur les idées intuitives qui sont implicites dans la culture politique des sociétés libérales-démocratiques et elle n'est valable que pour ces sociétés. N'est-ce pas là une perspective de type « contextualiste » assez semblable à la vôtre, même si les résultats auxquels vous arrivez tous les deux sont différents ?*

Il est normal pour moi de penser que Rawls a fait quelques pas dans ma direction. Pourtant j'ai l'impression qu'il y a eu des changements aussi du côté des « contextualistes » : certains efforts pour mettre en valeur les traits communs qui existent dans tous, ou presque tous, les contextes humains. Je veux, par exemple, pouvoir exprimer ma solidarité avec les démocrates tchèques ou chinois. En même temps, Rawls accepte de reconnaître les arguments présentant des affinités marquées avec la singularité de l'expérience américaine. Néanmoins, il reste encore d'importantes différences entre nous, qui ont à voir, peut-être, avec les disciplines académiques qui étayent nos conceptions respectives de la justice distributive. Rawls s'inspire de la théorie économique et de la psychologie du développement ; moi, de l'histoire et de l'anthropologie. En conséquence, sa « justice comme équité » donne lieu à un seul ensemble de principes cohérents, alors que les principes distributifs de ma « justice complexe » sont radicalement divergents, en harmonie avec nos représentations des biens sociaux plutôt qu'avec les résultats d'un procès de choix rationnel.

Revenons un moment sur votre conception d'une social-démocratie libérale et pluraliste. Ce projet rejoint celui de « démocratie plurielle » qui consiste à repenser la politique de la « gauche » en termes de « radicalisation de la démocratie », comme l'extension des principes d'égalité et de liberté à un nombre croissant de rapports sociaux. Dans cette perspective, vos propositions concernant un « associationnisme critique » m'ont particulièrement intéressée car elles explicitent l'idée, que vous avez souvent défendue, d'un libéralisme dont la dynamique même conduit au socialisme démocratique.

J'ai toujours pensé qu'un socialisme démocratique devrait permettre le développement d'une vie animée par des associations multiples. Les associations volontaires sont, bien sûr, une caractéristique de la société libérale : avec le gouvernement limité, leur étendue et leur énergie représentent l'un des grands accomplissements du libéralisme. Mais celles-ci ont toujours été limitées à certaines classes, la grande majorité des « volontaires » proviennent des classes moyennes et supérieures, et reproduisent souvent dans la société civile des modes de domination déjà présents au sein du marché ou de l'État.

Les fractions populaires de la société, sauf lorsqu'elles sont organisées dans un mouvement de la gauche – ouvrier, droits civiques, féministe, etc. –, sont passives et craintives. Cette mobilisation à travers les différents mouvements est très importante et elle a toujours quelque chose d'exaltant, mais il faut pourtant se demander ce qu'il en reste au niveau des institutions. Je vois la société civile comme le domaine où l'engagement et l'activisme des militants pourraient être institutionnalisés et transformés dans la prise de responsabilité quotidienne qui est nécessaire pour qu'existe une véritable vie publique. C'est là que la coopération, l'entraide et la solidarité peuvent devenir réelles et concrètes. Bien entendu, la société civile a besoin d'un cadre politique et il faut qu'elle soit appuyée par l'État ; c'est pourquoi ses membres doivent aussi être des citoyens. Mais il me semble que le test le plus décisif de tout socialisme, c'est sa capacité à faire de la société elle-même la création continue des hommes et des femmes ordinaires.

Le rôle de l'État, voilà ce qu'on redécouvre en France. Après avoir trop privilégié la société civile, on se rend compte maintenant à quel point celle-ci repose sur l'État. D'où un retour du politique, qu'on avait eu tendance à négliger dans sa dimension de décision, *ainsi qu'une remise à l'honneur du thème de la citoyenneté. Car c'est en tant que membre d'une communauté politique que nous sommes citoyens et il s'agit là d'un type d'association plus général, qui doit avoir une certaine primauté par rapport aux autres.*

Je suis d'accord en ce qui concerne l'importance de l'État car il représente un niveau de généralité auquel aucune des associations de la société civile ne peut aspirer. Nous pouvons concevoir son rôle de deux façons. Premièrement, lorsque des mouvements de masse brisent les formes traditionnelles de domination, on a besoin de l'État pour ratifier les changements et pour assurer leur efficacité – comme ce fut le cas lors de la révolution des droits civiques aux États-Unis. Deuxièmement, l'État est nécessaire pour garantir (légalement et matériellement) les nouvelles formes de liberté et de pluralisme. Comme celles-ci on toujours un certain degré d'indétermination (ceci est en effet une caractéristique tant de la liberté que du pluralisme), le rôle de l'État sera perpétuellement contesté. Il faudra donc résoudre ces questions d'une manière politique, c'est-à-dire par l'intermédiaire de citoyens vigilants. C'est l'ensemble des citoyens, la communauté politique agissant à travers les institutions de l'État, qui doit décider quelle solution apporter à ces conflits. Or, au même moment, ces citoyens actifs sont aussi engagés ailleurs, dans les différentes associations de la société civile. Quel devrait être le degré de leurs engagements respectifs, voilà une question qui ne peut pas être déterminée de manière théorique mais uniquement dans la pratique.

La reconnaissance du pluralisme, c'est bien là que réside la spécificité de la démocratie moderne et il n'est pas étonnant que celui-ci occupe une place centrale dans votre recherche. Pourtant ce terme a tellement de significations différentes qu'il n'est pas toujours facile de saisir ce que vous entendez exactement par « pluralisme ».

Je recours à la notion de pluralisme dans deux sens qui ne sont pas toujours suffisamment distingués. Il y a d'abord un pluralisme qui se réfère aux biens sociaux et aux « sphères de justice » que ceux-ci constituent, avec leurs différents principes de distribution et les procédures qui leur correspondent. Il y a ensuite le pluralisme des identités sociales et des cultures ethniques et religieuses à partir desquelles elles sont engendrées. Ces formes de pluralisme, il faut les accepter et s'y adapter car elles sont inhérentes à toute société moderne et complexe. Elles peuvent être réprimées – au prix de la tyrannie et de la brutalité – mais elles ne peuvent jamais être éliminées. Le pluralisme qu'évoque la science politique américaine, et qui date des années 1960, est plus étroit et apologétique. Il prétend que le pouvoir dans la société américaine est radicalement fragmenté et dispersé : il n'y a ni souverain, ni centre, ni classe dominante, ni élite au pouvoir ; rien que des citoyens libéraux, organisés dans une série de groupes qui se font contrepoids et qui exercent leurs droits démocratiques. C'est une thèse qu'il faut examiner avec précaution car il n'est pas évident que la fragmentation soit une valeur démocratique. Bien sûr, nous désirons parfois que le pouvoir soit divisé ; mais le but de tout mouvement politique sérieux est de gagner du pouvoir et de le consolider afin d'en user.

Votre insistance sur la nécessité de faire place au pluralisme des cultures et des identités vous a souvent valu l'accusation de « relativisme », entre autres par Ronald Dworkin dans la polémique qu'il a eue avec vous à propos de Spheres of Justice. *Selon Dworkin, l'objectif d'une théorie de la justice doit être d'établir des principes qui soient valables partout et toujours, tandis que vous affirmez que le philosophe politique doit « rester dans la caverne » et que son rôle est d'interpréter pour ses concitoyens le monde de significations qu'ils ont en commun.*

Je suis, certes, en faveur d'une conception qui affirme la relativité de la justice distributive. L'argument de *Spheres of Justice* est précisément que la distribution des biens sociaux doit être relative à la signification que ceux-ci possèdent dans la vie des gens à qui on va les distribuer. Comment pouvons-nous décider la répartition des soins de santé, sans nous préoccuper de la valeur attribuée à la santé et à la longévité dans un groupe déterminé ? Ou bien établir une politique de l'éducation sans prêter attention à l'importance de l'éducation dans une société particulière ? Mais la justice distributive n'est pas le tout de la moralité, elle ne recouvre même pas l'ensemble de la justice. Lorsque j'ai écrit à propos des guerres justes et injustes, je me suis référé à des principes plus universalistes car les guerres ont lieu entre sociétés et elles mettent en jeu des questions qui vont au-delà des frontières culturelles. L'idée cruciale, par exemple, de l'immunité des non-combattants doit être enracinée dans la reconnaissance mutuelle d'une humanité commune – même si cela sera ensuite exprimé dans des langages différents. En Europe et en Amérique, nous parlerons probablement du droit à la vie et à la liberté et le droit des peuples à disposer d'eux-mêmes représente, me semble-t-il, une version collective de ce même droit. Donc, lorsque j'argumente au sujet de la justice distributive, je fais appel aux significations et aux pratiques internes à ma propre société (libérale, démocratique). Mais j'ai aussi des choses à dire à propos des civils vietnamiens et irakiens, ainsi que des Kurdes, Palestiniens et Tibétains que je connais à peine et dont le mode de vie est autre que le mien. A la différence de Dworkin, je n'ai pas la prétention de leur dire comment ils doivent organiser la bonne société ; je désire seulement leur donner la possibilité de le faire eux-mêmes. S'ils le font vraiment très mal, alors je me joindrai à Dworkin pour les critiquer.

Affirmer le pluralisme des biens sociaux et des identités culturelles, c'est énoncer une proposition qui est à la fois particulariste et universaliste. C'est reconnaître l'existence de la différence – partout. La reconnaissance est universelle, tandis que ce qui est reconnu est local et particulier. Cela pourrait être envisagé comme un universalisme *réitératif* : la création des biens et des identités a lieu constamment et jamais de la même manière. S'il convient de valoriser la créativité et de respecter ses produits, il est également nécessaire de poser certaines limites à ces procès sociaux de création, car leurs protagonistes ne doivent pas imposer leurs propres conceptions de la politique ou de la culture. Des auteurs comme Habermas ou Ackerman estiment qu'à partir de ces contraintes, il devrait être possible de produire l'ensemble de la moralité de façon à ce que les différents procès de création conduisent tous à un seul et même résultat. Ce n'est pas seulement la tolérance que je défends ici, mais l'idée que toutes les choses humaines sont nécessairement partielles et incomplètes. Il y a un vieux dicton juif sur la loi de Dieu qui dit « Retourne-la et retourne-la, tout est en elle ». Peut-être. Mais nous ne serons jamais capables de « tout » en extraire.

Un argument souvent avancé contre une perspective qui met l'accent sur le pluralisme des traditions, c'est qu'elle ne permet pas de donner un « fondement » aux droits de l'homme. Elle les présente comme le produit d'une tradition particulière, comme quelque chose de spécifiquement occidental, alors qu'il faudrait les considérer comme l'expression d'un « progrès moral » de l'humanité, dont l'évidence devrait pouvoir être acceptée par toute personne rationnelle. Renoncer à un tel fondement ce serait, paraît-il, justifier la barbarie.

Le langage des droits de l'homme n'est rien d'autre que notre manière particulière de parler de certaines valeurs humaines qui sont centrales et généralement acceptées. Lorsque nous disons par exemple que Idi Amin Dada, Pol Pot ou Saddam Hussein ont violé les droits de l'homme, nous les accusons de ce qui aurait aussi pu être qualifié de brutalité ou de barbarie, d'actes d'inhumanité ou de crime contre Dieu. Je pars du principe que notre accusation peut être traduite dans ces autres langages ou dans d'autres encore. C'est parce qu'elle peut être traduite qu'elle peut être entendue et appliquée au-delà de nos frontières politiques et culturelles. Mais nous aurions tort de penser que le langage des droits de l'homme puisse servir à valider les caractères plus spécifiques de notre propre culture politique, comme si tous les êtres humains étaient moralement destinés à vivre de la même manière que nous, à l'exclusion de toute autre. Je ne pense pas que l'on renforce l'argument en faveur de l'individualisme radical en établissant une liste des droits individuels. En fait, plus la liste sera longue, moins elle sera plausible – ou plutôt, plus elle sera vouée à n'avoir qu'une signification locale.

Loin de représenter une étape nécessaire dans l'évolution de l'humanité, un point de non-retour, les droits de l'homme et les institutions démocratiques sont des conquêtes qu'il serait périlleux de considérer comme allant de soi. Or ce n'est pas en leur procurant des fondements rationnels que nous les consoliderons, mais en multipliant les pratiques où elles s'inscrivent ainsi qu'en renforçant les différentes identités qui les étayent. En effet, c'est une forte identification des citoyens avec la tradition démocratique qui peut fournir la meilleure garantie que celle-ci pourra survivre et s'approfondir. L'explosion d'antisémitisme, de racisme et de nationalisme à laquelle nous assistons un peu partout n'a-t-elle pas de quoi ébranler certaines convictions occidentales un peu naïves sur la politique et le caractère « naturel » de la démocratie ?

Examinons un peu ce retour des vieux antagonismes, ce tribalisme à la fois vieux et nouveau. La gauche n'a jamais rien compris aux tribus. Il est clair maintenant qu'une grande partie de l'obstination, de la résistance passive mais pénétrante qui ont érodé les régimes totalitaires de l'Est provenait de passions et de loyautés de nature hautement particularistes. Nous devrions nous étonner du pouvoir de ce particularisme. Il a été reproduit décennie après décennie, à travers plusieurs générations, sans aucun appui des organes officiels de reproduction sociale que sont les écoles et les médias. Je m'imagine des quantités de petits vieux chuchotant des choses à leurs petits-enfants, leur racontant des histoires. Je ne suis pas partisan de mener un combat politique contre ces gens-là. Laissons-leur raconter leurs histoires en public. Ce qu'elles ont de positif en sera renforcé ; le négatif, le fanatique, ce qui n'est que du ressentiment sera exposé à la critique. Dans la mesure où elles n'impliquent aucune injustice envers ceux qui racontent des histoires différentes, il faut permettre que ces histoires soient mises en scène. Pour cela il va falloir beaucoup de créativité et d'art politique, ainsi qu'une grande variété de dispositions institutionnelles – décentralisation, autonomie locale, fédéralisme, etc. Peut-être que ce qui est arrivé avec la religion à l'Ouest arrivera finalement avec le nationalisme à l'Est : le fait de faire place aux différences sapera peu à peu les bases de la haine et du fanatisme. En tout cas il y a une chose qui me semble certaine : l'effort pour créer un socialisme libéral doit être lié à une solution « libérale » de la question nationale.

Le défi auquel nous nous trouvons confrontés, tant à l'Est qu'en Europe et aux États-Unis, c'est bien celui d'une nouvelle conception de la citoyenneté. La question se pose ici et là de manière différente, mais c'est la même chose qui est en jeu : comment concilier la reconnaissance du pluralisme ethnique, religieux et culturel avec l'appartenance à une communauté politique démocratique dont les principes politiques sont l'affirmation de la liberté et de l'égalité pour tous ? Sur ce point la tentative des auteurs communautaires de récupérer l'aspect actif de la ci-

toyenneté que l'on trouve dans le républicanisme civique répond à un véritable besoin. Le problème, c'est que leur conception de la communauté ne laisse aucune place au pluralisme. Mais la vision libérale qui présente la démocratie exclusivement comme un ensemble de procédures est tout à fait insuffisante, car la démocratie moderne n'est pas neutre par rapport aux valeurs. Si nous ne parvenons pas à faire accepter sa dimension normative, éthico-politique, je doute que nous soyons capables de résister aux forces centrifuges du particularisme.

Dans la pensée de gauche on trouve souvent l'idée, qui vient en fait de Rousseau, que la citoyenneté doit être conçue comme un engagement total et exclusif, le citoyen comme un sujet qui n'est pas divisé et dont l'élan vers le général serait garanti par une culture homogène et une religion civile. Mais une telle vue fait de la politique une chose trop facile (en réalité Rousseau était un ennemi de la vie politique : il était opposé à ses divisions et à son agitation). De manière plus dangereuse encore, cela suggère que les dirigeants politiques devraient réprimer et transformer les sujets divisés qu'ils trouvent dans les sociétés contemporaines. Il me semble que nous devrions plutôt envisager la citoyenneté comme un de nos engagements, parmi d'autres, tout en lui attribuant un caractère crucial car elle nous sert de médiateur entre les autres engagements et nous permet d'agir de manière transversale. La communauté politique est un domaine d'action commune en vue d'objectifs communs. Ces objectifs ne recouvrent pas l'ensemble de la vie ; on ne trouve dans la politique ni le salut, ni la réalisation de soi, ni l'amour. Néanmoins, il est bon pour les hommes et les femmes de travailler ensemble pour donner forme aux différentes modalités de leur coexistence ; de se rencontrer, de discuter, de délibérer et de décider. D'importantes capacités humaines sont mises en œuvre dans un tel exercice et c'est précisément les difficultés qu'on y rencontre qui doivent nous convaincre de sa valeur.

Il est donc indispensable d'accepter qu'une politique démocratique vraiment pluraliste doit admettre le caractère relatif, toujours précaire et inachevé des solutions que nous apportons au problème de notre coexistence. C'est pourquoi, dans une société démocratique, il ne peut y avoir une réponse unique et définitive à la question de la justice. Il y aura toujours des interprétations différentes concernant la manière dont les principes de liberté et d'égalité doivent être institutionnalisés et des rapports sociaux auxquels il convient de les appliquer. D'où l'inanité de prétendre apporter la réponse « rationnelle » à ce problème.

C'est exactement ce que je pense et c'est la raison pour laquelle tout ce que j'ai écrit sur la justice et la critique sociale a pour but d'établir un cadre pour l'interprétation, d'indiquer ce que nous avons à interpréter et en quoi consiste le procès d'interprétation lui-même. Mes critiques se plaignent de ce que je n'offre pas de méthode définitive pour choisir parmi des interprétations contradictoires. Mais une telle méthode n'existe pas. Le fait de choisir est un processus social – un mélange d'argument, de rhétorique, de manipulation, de pression et de contrainte. La tâche des intellectuels ne concerne qu'une partie de ce processus ; nous avons à présenter les meilleurs arguments dont nous sommes capables, sans prétendre qu'ils sont plus que partiels et incomplets. Affirmer qu'on a réussi à trouver la solution finale, à formuler l'interprétation unique, rationnelle et nécessaire, cela conduit en fait à justifier la coercition. Il ne faut pas seulement être tolérants, mais humbles aussi. Les crimes de la gauche tout au long de ce siècle ont beaucoup à voir avec l'arrogance intellectuelle. (Les crimes de la droite, eux, ont une origine plus matérialiste : dans la cupidité individuelle et l'égoïsme collectif.)

C'est bien la raison pour laquelle je me méfie d'un certain type de philosophie politique qui s'efforce de fournir des arguments irréfutables pour la démocratie, de la fonder dans la na-

ture humaine ou sur une Raison universelle. Un tel désir d'accéder à la réponse rationnelle de la coexistence humaine est l'expression d'une dangereuse volonté de maîtrise qui va à l'encontre du pluralisme qui est constitutif de la démocratie moderne. Celui-ci est nécessairement de nature conflictuelle et il exclut la possibilité d'atteindre un consensus définitif. Nous ne pouvons pas échapper à la division et à l'antagonisme et il est bien vrai que la politique est notre destin. N'y a-t-il pas un paradoxe dans le fait que la démocratie pluraliste ne peut exister que dans l'impossibilité de son achèvement ?

Oui, la politique est permanente. Les chocs entre intérêts, valeurs et croyances n'ont pas de fin. La liberté et le pluralisme, au lieu de les abolir, auront plutôt comme effet de les intensifier car ils font entrer dans l'arène un plus grand nombre de personnes ; ils légitiment une plus grande diversité d'intérêts, de valeurs et de croyances et ils divisent le pouvoir et l'autorité. Il est possible que, si nous parvenons à éliminer les formes d'oppression les plus flagrantes, nous prendrons plus de plaisir au conflit (c'est déjà le cas pour certains) ; en tout cas il vaut mieux que nous apprenions à nous mêler aux diverses batailles. Ce qui importe, c'est que le fait de perdre ou de gagner ne soit pas une expérience totale, du genre qui produit arrogance d'un côté, humiliation et crainte de l'autre. Je vois là un triple rôle pour les philosophes politiques : 1. présenter une défense du pluralisme et de la différence qui accepte les conflits que ceux-ci impliquent mais en insistant sur le fait que ces conflits doivent toujours rester partiels : le sujet dans sa totalité, la société dans son ensemble ne doivent jamais être mis en question ; 2. rendre compte de la justice en politique d'une manière minimaliste et en termes de procédures afin d'établir les limites de nos litiges, c'est une défense de la « civilité » et de la participation ; 3. nous procurer des récits et des visions de ce que pourrait être une justice plus substantielle, car la conséquence fondamentale qu'il faut tirer de notre expérience, ainsi que des considérations théoriques que vous mettez en avant, c'est qu'il ne peut y avoir de victoire finale. Notre volonté rivalisera toujours avec celle des autres avec lesquels il nous faut sans cesse trouver une forme décente de coexistence.

Table des matières

Dans la série Philosophie publiée par les Éditions Esprit

La force du droit
sous la direction de Pierre Bouretz
280 pages, 150 francs.

L'Europe au soir du siècle
sous la direction de Jacques Lenoble
et Nicole Dewandre
320 pages, 150 francs.

La démocratie à l'œuvre
Autour de Claude Lefort
384 pages, 160 francs.

Paul Ricœur
Le Juste
224 pages, 140 francs.

Paul Ricœur
Réflexion faite
120 pages, 85 francs.

John Rawls
Le droit des gens
132 pages, 95 francs.

Fabrication

TRANSFAIRE SA
F-04250 Turriers, 04 92 55 18 14
Impression et façonnage : imprimerie France Quercy, Cahors
Dépôt légal 71588 FF – septembre 1997